# Les Carradine : une destinée royale

### Dernières nouvelles du Korosol !

*L*e petit royaume situé entre la France et l'Espagne est en pleine effervescence depuis que le vieux roi Easton, gravement malade, a annoncé sa décision de se retirer. Mais avant cela, le souverain doit désigner un successeur au trône — une tâche difficile, dans la mesure où ses fils sont morts, et que ses petits-enfants habitent à présent aux Etats-Unis. Aussi affaibli soit-il, le roi Easton est pourtant prêt à faire le voyage outre-atlantique, avec la ferme intention de ramener avec lui celui ou celle qui sera digne de le remplacer.

Il ignore que là-bas, le destin va lui réserver bien des surprises…

A vous de les découvrir en retrouvant chaque mois, du 1er juillet au 1er décembre, la destinée de la prestigieuse lignée des Carradine !

# Le fruit du scandale

JACQUELINE DIAMOND

# Le fruit du scandale

COLLECTION AZUR

*éditions* Harlequin

*Cet ouvrage a été publié en langue anglaise*
*sous le titre :*
THE IMPROPERLY PREGNANT PRINCESS

*Traduction française de*
JEAN-BAPTISTE ANDRÉ

HARLEQUIN®

est une marque déposée du Groupe Harlequin
et Azur ® est une marque déposée d'Harlequin S.A.

*Toute représentation ou reproduction, par quelque procédé que ce soit, constituerait*
*une contrefaçon sanctionnée par les articles 425 et suivants du Code pénal.*
© 2002, Harlequin Books S.A. © 2004, Traduction française : Harlequin S.A.
83-85, boulevard Vincent-Auriol, 75013 PARIS — Tél. : 01 42 16 63 63
Service Lectrices — Tél. : 01 45 82 47 47
ISBN 2-280-20317-0 — ISSN 0993-4448

# Prologue

Le roi Easton Carradine raccrocha le téléphone avec un intense soulagement. Il venait de mettre en branle les événements qui allaient assurer l'avenir du royaume du Korosol.

Il promena un regard affectueux sur les tapisseries anciennes de son bureau, au second étage du palais. Peut-être que la nouvelle reine, après son couronnement, l'autoriserait à occuper cette pièce de temps à autre.

Mais non… Quand il abandonnerait le pouvoir, il devrait le faire complètement.

Agité, le vieux monarque se leva et s'approcha d'une fenêtre à meneaux. De là, il contempla le panorama qu'il allait bientôt abandonner… Le soir tombait, mais peu importait ; il connaissait par cœur la topographie du jardin, ses escaliers, ses parterres de fleurs, ses mares. Même en ce mois de février, il n'y avait pas trace de neige du fait de la clémence du climat méditerranéen.

Sur sa droite, le drapeau bleu roi et argent du Korosol glissait lentement le long de sa hampe. Un soldat le descendait pour la nuit. Plus loin, un cerf à demi apprivoisé leva la tête en l'entendant claquer dans le vent. Constatant qu'il n'y avait rien à craindre, il se remit à paître.

Le Korosol, petit royaume coincé entre mer et montagne entre l'Espagne et la France, était le plus beau pays de la terre aux yeux du roi. Son climat, ses plages et ses sources chaudes en faisaient une destination privilégiée des touristes, auxquels il avait ouvert ses frontières durant ses soixante années de règne.

Mais il était temps pour lui de céder le trône. Jusqu'à l'année précédente, l'héritier aurait dû être son fils aîné. Mais Byrum et sa femme Sarah avaient été tués dans un safari en Afrique, lorsque leur Jeep avait explosé.

Le choix d'Easton aurait logiquement dû se porter sur leur fils Markus, pour lui succéder. Mais de terribles rumeurs étaient parvenues à ses oreilles. Quelques proches de Markus murmuraient qu'il était responsable de la mort de ses parents. De toute façon, même s'ils se trompaient, l'amour de Markus pour la boisson le rendait peu apte à diriger un pays.

En deuil, Easton avait laissé l'affaire traîner durant de longs mois. Mais il avait été saisi de malaises de plus en plus fréquents qui avaient alarmé ses médecins. Ces derniers l'avaient forcé à se rendre à Paris pour passer des examens.

Le verdict était sans appel. Easton souffrait, à soixante-dix-huit ans, d'une maladie du sang d'origine inconnue. Les médecins lui avaient donné un an à vivre.

Il était donc urgent de trouver un successeur. Même si en huit cents ans d'histoire, le Korosol avait presque toujours été dirigé par un descendant direct du précédent monarque, la loi autorisait le roi à choisir son successeur.

Et c'est ce qu'il comptait faire.

Un coup discret à la porte annonça l'entrée du général Harrison Montcalm, le conseiller d'Easton. Montcalm était un homme athlétique, aux manières militaires et au port altier, âgé de quarante-cinq ans. Un homme sur lequel il pouvait s'appuyer en toutes circonstances.

— Tout est réglé, Votre Majesté ?

— L'avion sera prêt à décoller demain matin comme convenu, l'informa le roi. Ma belle-fille s'est montrée très réceptive à mon projet, même si elle aurait aimé avoir quelques jours pour se préparer.

— Il est vrai que vous la prenez un peu de court.

— Et encore, elle ne sait pas tout.

Easton esquissa un sourire en se représentant mentalement l'élégante Charlotte DeLacey Carradine. Il ne l'avait pas vue depuis… combien, vingt ans ? Incroyable.

La dernière fois qu'ils s'étaient rencontrés, c'était lorsque son plus jeune fils, Drake, était mort dans un accident d'avion, laissant une femme et trois enfants à New York. Occupée à diriger les Transports DeLacey, Charlotte n'était pas revenue au Korosol depuis les funérailles. Et Easton devait lui-même reconnaître qu'il avait négligé ses trois petites-filles.

Le temps passait si vite… Trop vite, réalisa-t-il soudain.

— Vous ne lui avez rien dit de vos intentions ? reprit Harrison.

— Non. Je veux voir mes petites-filles telles qu'elles sont vraiment. Surtout Celia.

— Vous n'avez pas reconsidéré votre position vis-à-vis du prince James ?

— Certainement pas.

Son dernier fils avait mal tourné. Divorcé trois fois, il travaillait comme cow-boy dans le Wyoming — à moins que ce ne fût au Texas. Il était impossible de savoir vraiment ce qu'il faisait. James avait eu une flopée d'enfants avec ses différentes femmes, et il n'était pas difficile de supposer qu'aucun d'entre eux n'était prêt à assumer le trône.

Non, les filles de Charlotte étaient sa meilleure carte. Surtout Celia, qui était devenue vice-présidente de DeLacey après avoir décroché son MBA.

Le seul autre membre de sa famille était Christopher, marié et père de deux enfants, qui vivait en Californie. Malheureusement, il était le fils illégitime de la défunte sœur d'Easton, Magdalene, et ne pouvait à ce titre lui succéder.

— Selon vos désirs, nous partons en équipe réduite, déclara Harrison. Je pense que la presse n'en saura rien.

— Tant mieux. Je veux que mon peuple apprenne le nom de mon successeur de ma bouche. Ellie vient, n'est-ce pas ?

Eleanor Standish, une jeune fille de bonne famille qui avait également été la filleule de sa femme, lui servait de secrétaire particulière.

— Bien sûr. Elle vous est très dévouée.

— Parfait.

Ellie, pleine de vie, avait le don de le mettre de bonne humeur et d'alléger les devoirs de sa charge.

— Nous prendrons six gardes du corps, deux par tour de huit heures. Le capitaine de la Garde royale nous accompagnera, bien sûr.

Sir Harrison ne fit pas mention du fait que le capitaine Devon Montcalm était son fils. Le jeune homme, un brillant officier adoubé chevalier deux ans plus tôt, n'était pas très proche de son père.

— Le duc de Raleigh vient aussi, n'est-ce pas ? s'enquit Easton. Je compte le nommer à notre ambassade à New York.

— Bien sûr. Et il comprend parfaitement la délicate nature de sa mission.

Le duc, Cadence St John, devait assumer officiellement les fonctions d'ambassadeur. En réalité, en tant que commandant des Services spéciaux du Korosol, il était censé veiller discrètement à la sécurité des trois princesses.

— Puisque nous partons demain, Votre Majesté devrait peut-être se reposer.

— Je ne suis pas décrépit, Harrison.

— Ce n'est pas ce que je sous-entendais.

10

— Vous êtes mon conseiller, pas ma nounou, répliqua le roi avec une sévérité amusée. De toute façon, ce sera un court séjour. Je compte observer un peu Celia et rentrer au plus vite.

— J'espère que la princesse vous donnera toute satisfaction.

— Je n'en doute pas. Elle a du sang royal. Qu'est-ce qui pourrait clocher ?

— Rien, Votre Majesté.

— C'est exact. Rien du tout !

**1.**

— Félicitations, dit le médecin. Vous êtes enceinte.

— Je suis quoi ?

Assise sur le rebord de la table d'examen, Celia se prit à espérer qu'Elizabeth Loesser — Dr Beth pour les intimes — s'était trompée. Cette nouvelle était sans doute destinée à une autre.

A une femme mariée. Qui voulait des enfants.

— J'en déduis que la grossesse n'était pas planifiée ?

— C'est un euphémisme ! Comment est-ce arrivé ? Attendez, ne répondez pas à ça.

— Une grossesse est en général une bonne nouvelle, surtout pour une jeune femme en pleine santé telle que vous. Mais si vous voulez recourir à l'adoption…

Abandonner son enfant, un Carradine ? Jamais ! Outre le fait qu'elle s'y refusait moralement, la presse à scandale en ferait sans doute ses choux gras !

Les paparazzi représentaient le fléau de son existence. Même sans une adoption pour exciter leur curiosité, elle imaginait déjà les gros titres s'ils apprenaient son état : « La princesse enceinte, mais où est le prince ? »

— Il est hors de question que j'abandonne mon enfant. Donnez-moi juste ces petits dépliants avec toutes les informations sur le déroulement de la grossesse.

— Je vais vous envoyer une infirmière avec le nécessaire. Ne vous en faites pas, vous ne serez pas seule. Je suis sûre que le père assumera son rôle.

— Le père ? répéta Celia.

Seigneur… Elle avait été tellement prise de court par la nouvelle qu'elle n'avait pas songé un seul instant à Shane O'Connell.

— Il ne fait plus partie de l'histoire.

— Ah, je vois, murmura le Dr Beth, s'imaginant sans doute qu'il était marié.

Celia ne vit pas la nécessité de la détromper. Elle était furieuse contre Shane. Et de toute façon, elle n'avait rien en commun avec les filles qu'il fréquentait habituellement, à en juger par les ragots que colportait Krissy Katwell dans le *Manhattan Chronicle*. Celia n'éprouvait pas pour lui une admiration béate.

Non, elle avait simplement partagé le lit du ténébreux homme d'affaires et fait l'amour avec lui durant toute une nuit.

Cela avait été une merveilleuse expérience, elle devait bien l'avouer. Le souvenir des lèvres de Shane, courant sur son corps, la faisait encore frissonner…

Après que l'infirmière lui eut donné toutes les informations nécessaires, elle appela son chauffeur. Puis, sa sacoche pleine de vitamines et de dépliants prénatals, elle quitta à grands pas le cabinet médical.

Enceinte ! Et de Shane O'Connell ! Pourquoi fallait-il qu'elle se retrouvât dans une telle situation ? Sa mère allait lui arracher les yeux.

C'était pourtant Celia qui avait eu l'idée de ce rapprochement avec la société de livraison de Shane. Leurs intérêts se rejoignaient, et s'allier était une condition de survie dans un marché de plus en plus concurrentiel. Les négociations, pourtant, avaient été difficiles. Sans doute parce que Shane et elle se ressemblaient trop. Chaque fois qu'ils se retrouvaient dans la même pièce, c'était l'affrontement.

Sauf cette nuit-là... Celia avait accepté de retrouver Shane à son appartement, sans en mesurer les possibles conséquences... Ils avaient parlé affaires en buvant un verre, s'étaient querellés comme à leur habitude puis, dans la seconde d'après, s'étaient retrouvés dans les bras l'un de l'autre. Que s'était-il passé ?

Tous deux avaient été terriblement embarrassés le lendemain. Celia s'était éclipsée aussitôt, rouge de honte. Lorsqu'elle s'était rendu compte qu'ils n'avaient utilisé aucun moyen de contraception, elle avait choisi de ne pas s'en inquiéter. La moitié de la ville suivait des traitements contre les problèmes de fertilité, elle ne risquait donc pas de se retrouver enceinte après une malheureuse nuit d'amour...

Puis elle avait eu du retard dans son cycle, et pris rendez-vous chez le médecin quand elle n'avait pu se voiler la face plus longtemps.

Il n'y avait plus de doute, à présent. Elle portait l'enfant de Shane O'Connell !

Elle s'engagea dans l'ascenseur, consciente du regard curieux que les gens posaient sur elle. Le problème, lorsque l'on était une blonde aux yeux verts, était que l'on attirait l'attention. Les gens ne mettaient en général pas longtemps à la reconnaître, son visage ornant régulièrement les pages de la presse à sensations.

Une bouffée de vent froid lui glaça les jambes lorsqu'elle sortit, et elle regretta une nouvelle fois de ne pas avoir mis de pantalon. Mais sa mère insistait sur le fait que porter une jupe était bien plus féminin. Et ce que lady Charlotte voulait, elle l'obtenait.

Le fumet qui parvenait de l'échoppe d'un vendeur de hot dogs ambulant lui fit constater qu'elle mourait de faim. C'était étonnant, parce qu'elle oubliait souvent de déjeuner tant son travail la prenait. C'était sûrement un effet de ses hormones.

Un hot dog était-il recommandé pour une femme enceinte ? Elle n'avait pas le temps de lire les dépliants, aussi s'en achetat-elle un sans plus se poser de questions.

14

Elle venait à peine de payer que sa Mercedes se glissait le long du trottoir. Elle s'engouffra à l'intérieur.

— Où allons-nous, mademoiselle Carradine ? lui demanda Paulo, le chauffeur de la famille.

— Au bureau, s'il vous plaît.

Celia vérifia sa montre. Il était 1 heure, et elle avait rendez-vous à 1 h 30 avec Shane.

— Je crois que je suis en retard, marmonna-t-elle.

Avec une habileté consommée, le chauffeur se glissa dans le flot de la circulation. Si quelqu'un pouvait la faire arriver à l'heure, c'était bien lui.

Shane détestait qu'on le fasse attendre. Et Celia ne voulait pas arriver en position de désavantage.

Ils avaient conclu un accord de rapprochement une semaine après leur nuit passée ensemble. Ils ne s'étaient pas revus depuis, se contentant de communiquer par fax et par e-mail. A présent qu'ils essayaient de ferrer un gros client, une entreprise de jouets chinoise, ils devaient en discuter de vive voix.

Devait-elle le mettre au courant de sa grossesse ? Il avait tout de même le droit de savoir. Pourtant, elle ignorait comment annoncer la chose à cet autodidacte devenu multimillionnaire.

L'ascension fulgurante de Shane l'avait placé dans les Top Dix de nombreux journaux — *Forbes*, *Fortune* et *Newsweek*. Son physique lui valait d'occuper des Top Dix d'un genre tout à fait différent dans *Cosmopolitan* et dans *Elle*.

Son hot dog terminé, Celia renonça à jeter le papier dans la poubelle de la Mercedes, sûre que sa mère le trouverait et lui en ferait le reproche. Elle préféra donc le froisser et le cacher dans son attaché-case. Mieux valait que ses papiers sentent la saucisse pendant trois jours plutôt que de s'exposer à un sermon de Charlotte sur la diététique.

Encore que celui sur les grossesses non désirées promettait d'être redoutable…

À 1 h 29, ils atteignirent l'immeuble de dix-neuf étages qui abritait le siège de DeLacey sur Broad Street. L'East River et le terminal où les marchandises arrivaient se trouvaient non loin de là. Celia remercia Paulo, sortit de la voiture et entra dans l'immeuble.

Plusieurs employés s'écartèrent sur son passage. Certains, ceux qui avaient reçu des primes pour la qualité de leur travail, lui sourirent. D'autres, ceux qui la surnommaient « le Barracuda » et s'étaient vu rappeler à l'ordre pour leurs piètres résultats, lui jetèrent un regard noir.

Elle franchit enfin les portes de verre sur lesquelles la mention « Vice-Président » était gravée, au dix-neuvième étage. Sa secrétaire, Linzy Lamar, s'arracha à son ordinateur.

— Monsieur O'Connell vous attend dans votre bureau, annonça-t-elle. Et votre mère est passée.

Cette dernière nouvelle n'avait rien d'étonnant, puisque le bureau de Charlotte se trouvait à l'autre bout du couloir.

— Elle a dit ce qu'elle voulait ?

— Non, mademoiselle Carradine. Elle a dit qu'elle repasserait. J'ai mis le dernier rapport sur l'état du trafic mondial sur votre bureau.

— Merci beaucoup.

Celia poussa enfin la lourde porte en bois de son bureau. Même au mois de février, une vive lumière inondait la vaste pièce, qui dominait le port. Une large silhouette masquait l'une des fenêtres.

— Je vous rappelle, dit Shane.

Il raccrocha son téléphone portable et se retourna.

Le temps parut s'arrêter. Le regard de Shane la percuta avec une telle force qu'elle s'immobilisa. Depuis deux mois qu'elle ne l'avait pas vu, elle avait presque oublié l'impact de son aura.

— Vous avez cinq minutes de retard, déclara-t-il en tapotant le cadran de sa montre. Et j'ai un agenda chargé.

— J'ai été retardée. Je suis désolée.

16

Elle posa son attaché-case sur le bureau et l'ouvrit. Une odeur de hot dog en sortit, et Shane fronça les sourcils.

— Vous avez eu le temps de vous arrêter pour déjeuner, apparemment.

— Je ne me suis pas arrêtée. J'ai mangé en chemin, expliqua Celia en jetant l'emballage de son hot dog à la poubelle.

— Vous allez avoir une indigestion.

« De toute façon, je vais avoir une grosse indigestion pendant sept mois, alors… »

Elle se garda de lui faire part de ses réflexions. Ce n'était certainement pas le meilleur moyen de lui annoncer la nouvelle !

— C'est mon problème.

Shane lui décocha un grand sourire, et Celia sentit un picotement d'excitation parcourir sa peau. Irritée, elle ôta son manteau et le jeta sur une chaise.

— Si vous ne voulez pas discuter de vos habitudes alimentaires, reprit Shane, mettons-nous au travail.

Il ouvrit son ordinateur et annonça :

— A ce jour, Wuhan Novelty utilise différentes entreprises pour transporter ses jouets. Il leur fait descendre le fleuve Yangtze, puis traverser le Pacifique et il les dispatche ensuite entre différents entrepôts. Si vous ajoutez le fait qu'ils se sont mis en vente sur Internet, vous voyez que nous arrivons à une situation pour le moins compliquée.

— Que nous pouvons simplifier, dit Celia.

— Absolument.

En quelques mots, Shane lui brossa les grands points de son projet, expliquant comment il comptait utiliser les ressources respectives de DeLacey et de sa propre compagnie pour proposer à Wuhan une offre clés en main. L'énergie qui se dégageait de lui comme il parlait était presque palpable, et Celia songea que si elle avait eu un lit dans son bureau, elle se serait peut-être laissé tenter par une autre étreinte avec cet homme.

17

A croire que la première fois ne lui avait pas servi de leçon…

— Vous avez l'air ailleurs. Je vous ennuie ?

Celia cligna des yeux.

— Euh, pas du tout. C'est un plan brillant.

Un plan brillant. Voilà ce dont *elle* avait besoin. Pas pour décrocher le contrat Wuhan, mais pour lui annoncer qu'elle était enceinte…

— Vous avez quelque chose à ajouter ? demanda Shane.

— Les jouets !

— Pardon ?

— Ils font des jouets.

C'était le prétexte idéal…

— J'en ai bien conscience, oui.

Comme quand Celia s'emballait, une idée lui vint aussitôt à l'esprit.

— Nous allons faire davantage que transporter leurs jouets. Nous allons leur faire de la publicité gratuite et nous faire connaître en même temps.

— Et comment comptez-vous vous y prendre ? s'enquit son compagnon, une lueur d'intérêt dans le regard.

— Si nous décrochons ce contrat, nous devrons acheter deux nouveaux cargos. Nous les peindrons… Quelles sont les couleurs de Wuhan ?

— Jaune et rouge.

Celia grimaça, regrettant d'avoir dû lui céder un point. Elle aurait dû le savoir. Elle détestait ne pas tout connaître d'un dossier.

— Parfait. Nous peindrons donc nos cargos en jaune et rouge, ainsi que certains de nos avions, et mettrons leur logo à côté du nôtre. Tout le monde réalisera que DeLacey et O'Connell transportent des jouets.

— Comme le Père Noël.

— Exactement !

18

Plus elle y pensait, plus Celia aimait cette idée.

— Nous lancerons une campagne publicitaire. Pas seulement pour les revues professionnelles, mais aussi grâce à des spots télé et des campagnes d'affichage.

— Notre clientèle n'est pas le grand public, fit valoir Shane. Ce sont des entreprises.

— Des entreprises dont les patrons ont des enfants. Ils vont nous adorer. Ça nous donnera un avantage dans les appels d'offre.

— Ça pourrait marcher. Le manque d'image est le problème des entreprises de notre secteur.

— En parlant d'enfants…

Celia s'interrompit, se demandant comment enchaîner.

— Oui ?

— Je, euh… Vous les aimez ?

— Si j'aime les enfants ? Je ne suis pas sûr de vous suivre.

— Vous pourriez servir de… porte-parole, improvisa-t-elle. Dans les publicités. Dire que vous les adorez. Que vous mourez d'envie d'en avoir vous-même.

— Moi ?

— Vous êtes le mieux placé. Réfléchissez. Je suis une femme, et si je dis que j'aime les enfants, ça passera pour très banal…

« Sauf pour ceux qui me connaissent, évidemment… »

— … alors qu'en revanche, si *vous* évoquez les joies de la paternité, vous retiendrez l'attention du public.

Shane se radossa à sa chaise, visiblement dérouté.

— Je suis désolé, Celia, mais ce n'est pas mon genre.

— C'est quoi, votre genre ? demanda-t-elle en espérant que sa voix ne trahissait rien de son abattement.

— Je ne suis pas fait pour avoir des enfants, renchérit l'homme d'affaires d'un ton brusque. Je n'en ai ni le temps ni l'envie.

— Nous parlons de façon théorique. D'ailleurs, vous en voudrez peut-être, un jour.

19

— Je ne crois pas. Ça me donnerait l'impression d'être emprisonné. J'ai eu une enfance assez malheureuse moi-même. Et la famille, ce n'est pas mon genre.

— Mais d'où sortez-vous, des années 80 ? explosa Celia, n'y tenant plus. Vous avez entendu parler de la « génération du moi » ? Nous sommes supposés en être revenus ! Les hommes défilent pour réclamer leurs droits paternels, aujourd'hui !

Elle s'était levée, et Shane fit de même. Il ne supportait visiblement pas d'être dominé.

— Attendez une minute. Nous parlons d'une campagne de publicité, non ? Pourquoi le prendre personnellement ?

— C'est une grande campagne ! En tout cas, c'en était une avant que vous ne vous dégonfliez !

— Je n'ai jamais prétendu être un acteur, protesta Shane, visiblement dérouté. Qu'est-ce qui vous prend ?

— Rien ! Tout ! Vous ne comprenez donc pas ?

— Je crois que nous devrions parler de ce qui s'est passé entre nous, soupira Shane.

— Il ne s'est rien passé ! Je croyais que nous nous étions mis d'accord ?

— Pourquoi une telle agitation ? fit la voix de Charlotte, dans leur dos.

Celia se figea, stupéfaite. Qu'avait entendu sa mère ?

La présidente de DeLacey entra de sa démarche de ballerine dans la pièce. La duchesse du Fret, que personne n'appelait plus ainsi à l'exception de Krissy Katwell dans sa rubrique mondaine du *Manhattan Chronicle*, se déplaçait avec une grâce naturelle.

— Ravie de vous voir, Shane.

— Le plaisir est pour moi, lady Charlotte.

Les manières de Shane s'étaient faites plus formelles. La présence de lady Charlotte provoquait en général cet effet sur tout le monde, à l'exception de ses filles.

20

A cinquante ans, elle avait des cheveux coupés court et blancs, ce qui ajoutait à son intimidante aura. Elle portait ce jour-là une veste bleue qui faisait ressortir la couleur de ses yeux et une jupe d'un blanc immaculé.

— Vous discutiez du dossier Wuhan ? Qu'avez-vous décidé ?

Elle ne manifestait aucune intention de s'asseoir, aussi Shane et Celia furent-ils brefs en lui résumant la situation. Lorsqu'ils eurent fini, lady Charlotte inclina la tête en signe d'approbation.

— Faites-moi parvenir le dossier une fois qu'il sera rédigé.

— Avant que nous soumettions quoi que ce soit, intervint Shane, un représentant de Wuhan nous a invités, Celia et moi, à déjeuner après-demain midi. Je crois qu'il meurt d'envie de rencontrer une princesse.

— Parfait. Elle viendra, répondit lady Charlotte sans se soucier de demander à sa fille son emploi du temps. A présent, Shane, si vous voulez bien nous excuser...

— Bien évidemment.

Shane referma son portable, les salua toutes deux et quitta la pièce.

— Il t'aime bien, on dirait, commenta lady Charlotte sitôt qu'il fut sorti.

— Pardon ? fit Celia.

— Tu n'es pas son genre, pourtant, ajouta sa mère avec une assurance irritante. Il a besoin d'une femme qui construise sa vie autour de lui. Quelqu'un de docile, ce qui n'est pas du tout ton cas.

Celia se retint de protester. Elle savait qu'il valait mieux éviter de contredire lady Charlotte lorsque c'était possible.

— Linzy m'a dit que tu étais passée, déclara-t-elle d'un ton neutre. Que se passe-t-il ?

— Ton grand-père vient nous rendre visite. Surprise, n'est-ce pas ? Et il arrive demain. Je suppose que c'est une prérogative royale que de ne pas prévenir.

Pour Celia, qui n'avait pas vu le roi depuis l'âge de neuf ans, il était une figure à la fois lointaine et légendaire. Un frisson d'expectative la parcourut.

— Pourquoi vient-il si brusquement ?

— Il a refusé de me le dire. Mais il habitera chez nous. Le reste de son personnel séjournera à l'ambassade à l'exception de ses gardes du corps.

Celia sentit sa tête se mettre à tourner. Une visite royale et une grossesse inattendue, cela faisait beaucoup d'un seul coup. Pourtant, elle n'avait pas vraiment le choix.

— Je peux faire quelque chose pour aider ?

— Il a exprimé le désir de passer du temps avec toi. Tu te rendras disponible quels que soient tes autres engagements.

— Mais mon travail…

— Si tu as besoin de prendre des jours de congé, fais-le. Tu iras à ce déjeuner avec Shane, cependant. Rien de tel qu'une princesse pour impressionner un client. Après, je me débrouillerai sans toi s'il le faut. C'est ce que j'ai fait après la mort de ton père, ça ne changera rien.

Celia eut l'impression de recevoir une gifle en plein visage. Depuis qu'elle avait décroché son MBA, cinq ans plus tôt, elle n'avait pas épargné ses efforts pour moderniser DeLacey et en faire l'une des entreprises les plus rentables du secteur. Apparemment, cela n'avait pas impressionné sa mère.

— Je suis désolée que ma contribution à cette entreprise te semble si négligeable, répondit-elle, choisissant ses mots avec soin.

Charlotte balaya son reproche d'un geste vague.

— Tu m'aides beaucoup et tu le sais. Maintenant, rappelle-toi, le roi arrive demain. Il faudra donc que tu quittes le bureau plus tôt que d'habitude. Nous discuterons du reste des détails à la maison.

Et elle partit, laissant Celia fulminante. Elle avait parfois du mal à savoir qui, de Shane ou de sa mère, l'irritait le plus.

Une drôle de sensation dans son estomac la fit revenir à la réalité. Le sujet pour le moins délicat de sa grossesse devrait rester secret jusqu'au départ du roi. Dieu merci, elle n'avait rien dit à Shane. Personne ne devait savoir. Elle ne voulait pas provoquer de scandale devant le vieux monarque, ou elle n'oserait plus jamais affronter sa mère.

# 2.

Le lendemain, Shane avait son portable vissé à l'oreille lorsque le taxi le déposa devant l'immeuble dont l'entreprise O'Connell Industries occupait un étage entier.

— A demain, alors, dit-il au représentant de Wuhan. La princesse est très impatiente de vous rencontrer.

Le chauffeur de taxi se retourna et lui décocha un regard impatient. Sur le trottoir, un homme se pencha et cogna à la fenêtre.

— Alors, vous descendez ou quoi ?

Soucieux du protocole, Shane prit son temps pour saluer son interlocuteur, tout en payant le chauffeur. Puis il raccrocha, empocha son téléphone, attrapa son attaché-case et entra dans l'immeuble.

Il dut se serrer dans un ascenseur déjà bondé, et se promit que sitôt qu'il aurait *son* immeuble, il se ferait construire un ascenseur privé.

Au trente et unième étage, il déboucha dans les bureaux de O'Connell-côte Est. Il aimait traverser le grand hall grouillant d'activité, parmi les téléphones qui sonnaient. Quel progrès depuis le bureau miteux où il avait débuté !

— Monsieur O'Connell ? fit Tawny Magruder, sa secrétaire. Ferguson est là.

D'un signe de tête bougon, elle désigna l'homme qui attendait dans son bureau. Ed Fergsuson, son assistant personnel, ne venait que rarement ici. Ce dernier veillait en effet sur les résidences de Shane, son cottage de vacances, son yacht et son jet privé.

Le but de sa visite était évident. Il portait un smoking encore enveloppé d'un film plastique à l'enseigne du pressing.

— Je pensais que tu n'aurais pas le temps de venir te changer, expliqua-t-il.

— Qu'est-ce que je ferais sans toi ? demanda Shane.

Il avait rencontré Ed dans un orphelinat. Ils s'étaient liés d'amitié, puis, plus tard, Ed était devenu son employé. Plutôt chétif et discret, il pouvait passer inaperçu, mais il était d'une efficacité et d'une rigueur rares.

— Il est certain que moi, je n'irais pas chercher votre linge ! s'exclama Tawny avec sa franchise habituelle.

— Je n'oserais même pas vous le demander.

Sa secrétaire sourit. Comme Ed et lui, elle avait eu une enfance difficile. Elle s'était révélée une travailleuse infatigable, sur laquelle il pouvait compter en toutes circonstances. Sa loyauté était sans faille. Le fait qu'il n'hésitait pas à recruter des personnes au passé agité était l'une des forces de son entreprise, Shane le savait.

— Tu es attendu à ce gala de charité pour les orphelins à 18 h 30, lui rappela Ferguson.

— Il le sait, intervint Tawny. Je l'ai noté dans son agenda.

— Un homme occupé a mieux à faire que consulter un emploi du temps, rétorqua l'assistant d'un ton pincé.

— Je ne laisse jamais M. O'Connell sortir sans lui rappeler tous ses rendez-vous, riposta la secrétaire.

— J'apprécie votre sollicitude à tous les deux, fit Shane avec un large sourire.

— Si tu as besoin d'aide pour t'habiller, je peux revenir, dit Ferguson.

— S'il a besoin..., commença Tawny.

Puis elle eut un geste de capitulation.

— Bon, d'accord, s'il a besoin de quelqu'un pour lui fermer sa braguette, je vous laisse faire.

— Je suis assez grand pour fermer ma braguette tout seul, merci bien. Merci pour le smoking, Ed.

— Il y avait aussi des messages, ajouta son assistant en lui tendant deux petites cassettes. De nature personnelle.

— Merci.

— Vous auriez pu me laisser tout ça, protesta Tawny. Monsieur O'Connell, je lui ai dit qu'il n'était pas nécessaire d'attendre.

— Cela ne m'a pas dérangé le moins du monde. Je vous laisse, à présent.

Ed Ferguson se retira, raide comme la justice. Tawny le suivit d'un œil noir.

— Un vrai majordome anglais, bougonna-t-elle avant de se tourner de nouveau vers son ordinateur.

Avec un sourire, Shane pénétra dans son bureau et s'installa confortablement. Il adorait cet endroit. Contrairement à Celia, lui n'était pas né avec une cuillère en argent dans la bouche. Tout cela, il l'avait gagné.

Celia Carradine... Il la revit qui traversait le bureau de sa démarche souple pour venir le saluer. Sa frange blonde et la grâce légèrement anguleuse de ses traits soulignaient ses yeux d'un vert liquide, les faisaient paraître immenses.

Il avait désespérément guetté un signe de cette chaleur qu'ils avaient partagée. Il avait supposé qu'elle finirait par se détendre, par plaisanter avec lui, par se rapprocher de lui et poser la main sur sa joue...

Mais il ne s'était rien passé. Elle était restée glaciale. A croire qu'ils n'avaient jamais passé cette nuit ensemble. Ou qu'elle ne signifiait rien pour la jeune femme.

Shane aurait préféré ne pas la trouver aussi fascinante, mais il devait bien admettre qu'il avait frémi en découvrant tant de sen-

26

sualité derrière ses manières austères. Et il appréciait sa vivacité, son intelligence.

Mais ils se ressemblaient trop. Si jamais il se lançait dans une relation de longue durée, ce ne serait pas avec une femme aussi opiniâtre et travailleuse que lui. De toute façon, il savait qu'il n'était pas fait pour une vie sentimentale stable. Peut-être parce que ses affaires passaient avant tout. Ou peut-être parce que, orphelin, il avait appris que son bonheur dépendait uniquement de lui-même.

Se rappelant les messages qu'Ed lui avait apportés, il glissa la cassette dans son répondeur.

— Shane, mon chou !

Il reconnut aussitôt Amy, une agent de change divorcée qui avait flirté avec lui à un cocktail.

— On vient de me donner des tickets pour un spectacle extraordinaire samedi soir, et j'ai immédiatement pensé à toi.

Le message suivant était de Janet, une avocate qu'il avait rencontrée à un gala de charité. Il se rappelait son charmant minois, et le fait qu'elle était également divorcée.

— J'organise une petite soirée avec quelques amis samedi soir, dit-elle. Je serais ravie que tu puisses en être.

Leur intérêt flattait Shane. Toutes deux étaient très attirantes. Mais il ne voulait pas se lancer dans une nouvelle histoire pour le moment. Pas tant que Celia ne lui serait pas sortie de l'esprit.

Pourquoi s'était-elle mise en colère contre lui, la veille ? Sans doute parce qu'il lui avait gâché son idée de publicité. Mais il se voyait mal jouer les pères de famille. Il ne voulait pas d'enfants. Ils lui rappelaient trop sa propre histoire.

Il avait huit ans quand son père était mort dans un accident du travail. Sa mère, Annie, travaillait comme serveuse presque jour et nuit, et il n'était pas rare qu'il rentre, fasse ses devoirs, se prépare à manger et aille se coucher sans l'avoir vue.

Quatre ans plus tard, Annie avait été prise dans un feu croisé entre deux gangs rivaux, à la sortie du restaurant. Elle s'était trouvée au mauvais endroit au mauvais moment, avait dit la police.

A partir de là, il avait été placé chez plusieurs familles d'adoption, d'où il avait fugué. On l'avait ensuite mis dans un orphelinat. C'était là qu'il avait rencontré Ed Ferguson, qu'il avait secouru alors qu'il se faisait malmener par une bande de plus grands.

Mais pourquoi exhumait-il soudain ces souvenirs ? se demandat-il en secouant la tête. Ce devait être parce que Celia avait parlé d'enfants. Preuve que ces derniers ne lui réussissaient pas !

Il était cependant contrarié de n'avoir pu terminer leur conversation. Après avoir rappelé Amy et Janet pour décliner leurs invitations respectives, il se tourna vers son ordinateur. DeLacey et O'Connell venaient d'investir dans un coûteux système de vidéoconférence, il était temps d'en tirer parti…


Le roi Easton somnola durant le vol de neuf heures du Korosol à New York. Il appréciait le confort de son jet privé, même s'il regrettait un peu l'époque des grands vols transatlantiques.

Avec Cassandra, sa femme, il s'était rendu aux Etats-Unis quelques années après la mort de son père, le roi Cyrus. Même si Cassandra avait affirmé redouter la presse, du fait de son caractère timide, elle était rapidement devenue la coqueluche des médias. Easton gardait un excellent souvenir de sa rencontre avec le président Truman, et de l'Amérique en général.

Cassandra lui manquait aujourd'hui terriblement. Belle et brillante, elle avait été sa conseillère et sa meilleure amie. Sa mort, six ans plus tôt, l'avait brisé.

Troublé, il renonça à essayer de dormir et demanda qu'on lui servît son repas. Peu après, le jet se posait à New York.

Tandis que Cadence St John et Harrison Montcalm se rendaient à l'ambassade, deux hélicoptères transportèrent le roi, ses gardes du corps et sa secrétaire sur le toit d'un appartement qui dominait Central Park. Une nouvelle fois, Easton fut impressionné par ce poumon de verdure au beau milieu de la métropole.

— Toutes les villes devraient avoir un havre pareil, avait dit Cassandra, bien des années plus tôt.

— C'est haut, murmura sa secrétaire, impressionnée, comme le rotor s'arrêtait.

— Vous croyez qu'il faudrait faire construire des gratte-ciel à Korosol la Vella ? la taquina le roi.

Sa capitale avait son lot de constructions modernes, mais aucune n'était si haute.

— Surtout pas ! Je ne changerais rien du tout, déclara sa secrétaire, remontant ses lunettes sur son nez.

Ellie était à vingt-six ans une jeune femme magnifique, mais qui le cachait derrière des vêtements informes. Cela convenait fort bien à Easton, qui ne voulait pas perdre une si précieuse secrétaire parce qu'un jeune homme se mettrait en tête de la séduire.

— Veuillez patienter ici, Majesté, lui dit Devon Montcalm, capitaine de la Garde royale. Nous allons sécuriser la zone.

— Certainement.

Le duplex de sa belle-fille étant déjà surveillé, il ne fallut que quelques minutes à Devon pour rencontrer le chef de la sécurité et faire les vérifications d'usage. Il escorta ensuite le roi jusqu'à un ascenseur privé.

Easton déclina le bras que lui offrait le capitaine Montcalm pour descendre de l'ascenseur. Il n'avait aucune intention de donner l'image d'un invalide.

Son cœur se mit à battre lorsque l'ascenseur s'arrêta. Il n'avait pas vu ses petites-filles depuis qu'elles étaient enfants.

Les portes s'ouvrirent sur un hall de marbre dont Easton nota aussitôt l'élégance. L'endroit évoquait davantage un petit palais, avec son immense plafond et son escalier incurvé, qu'un appartement new-yorkais.

— Votre Majesté !

Il aurait reconnut Charlotte DeLacey n'importe où. Grande, mince et toujours aussi séduisante, elle avait à peine changé en vingt ans.

Elle fit gracieusement la révérence. Le roi la prit par la main et la redressa.

— Vous êtes superbe, ma chère. Je regrette d'avoir attendu si longtemps pour vous rendre visite.

— Vous n'avez pas changé non plus. Vous ressemblez tellement à Drake, ajouta-t-elle avec un sourire triste. Avez-vous fait bon voyage ?

— Excellent. Laissez-moi vous présenter ma secrétaire, Eleanor Standish. Elle ne résidera pas ici, mais elle va m'aider à installer mes affaires.

— Bien sûr.

Une gouvernante se matérialisa comme par magie et entraîna Ellie pour lui montrer l'appartement. Le roi se retrouva seul avec sa belle-fille.

— Où sont mes petites-filles ? demanda-t-il.

— Elles vous attendent dans le grand salon, au bout de la galerie. Ou plus précisément, Amelia et Lucia vous attendent. Celia n'est pas encore rentrée.

Le roi en éprouva un pincement de contrariété.

— Elle n'est pas prévenue de ma visite ?

— Bien sûr que si. Mais elle surveille l'évolution d'une grosse tempête qui pourrait couper la route de nos bateaux dans le Pacifique Sud, expliqua Charlotte. Elle prend ses responsabilités très au sérieux.

— C'est bon signe, déclara Easton, apaisé.

— Bon signe ? répéta Charlotte, tandis qu'elle l'entraînait vers le salon.

— Nous en rediscuterons plus tard.

30

Les communications avec les navires pris dans la tempête avaient été interrompues. Avec impatience, Celia raccrocha.

— A quoi bon cette débauche de technologie ? grommela-t-elle.

Comme elle était seule dans son bureau, personne ne répondit. La matinée avait été une succession de frustrations. Sa mère l'avait appelée deux fois pour lui enjoindre de rentrer tôt. Puis il y avait eu cette tempête. De fait, Celia ne pouvait rien faire d'autre que valider les décisions de ses capitaines et se fier à leur jugement. Mais elle se sentait solidaire de ses hommes. Et puis, si quelque chose tournait mal, s'ils perdaient une cargaison, elle en assumerait la responsabilité. C'était la moindre des choses de rester pour veiller au grain.

Un bip venu de son ordinateur la tira de ses réflexions. Intriguée, elle minimisa la carte marine qui était affichée sur l'écran, et qui fut aussitôt remplacée par le visage souriant de Shane O'Connell.

— Vous me voyez mais je ne vous vois pas, annonça-t-il. Lancez la vidéo.

Celia utilisait si peu le système de vidéoconférence qu'elle en avait oublié jusqu'à son existence. Elle se redressa dans sa chaise, peigna sa frange avec ses doigts et cliqua sur « Envoyer Vidéo ».

Le sourire de Shane s'élargit.

— Eh, vous êtes superbe. Même en basse résolution.

— Que se passe-t-il ? Un problème avec Wuhan ? Je croyais que tout était réglé.

— Pour la campagne publicitaire ? Pas si vite !

— Je parlais du déjeuner de demain. Oubliez la campagne.

— Elle semblait pourtant vous tenir à cœur, hier…

L'expression de Shane avait changé, à moins que ce ne fût un effet du flou provoqué par les pixels en mouvements. L'image était saccadée, donnant à Celia l'impression de regarder une animation. Seule la voix de Shane était réelle, fluide et grave, malgré la petite taille des haut-parleurs. Il paraissait étrangement proche et lointain à la fois.

Comme dans la vie...

— J'ai eu quelques soucis, expliqua-t-elle.

Puis, parce qu'elle préférait ne pas lui parler de la visite du roi, elle ajouta :

— Certains de nos navires sont pris dans une tempête. De quoi vouliez-vous me parler, Shane ?

— De nous.

Celia crut que son cœur allait s'arrêter.

— P-Pardon ?

— Nous étions sur le point d'évoquer notre nuit ensemble quand votre mère est arrivée. Il est temps que nous finissions cette conversation.

Pas maintenant ! songea Celia, horrifiée. Pas avec sa mère qui l'attendait en compagnie du roi ! Pas avec ces bateaux dans la tempête ! Elle n'avait pas l'esprit libre pour parler de cela.

— N'en parlons plus. C'était sans conséquence.

— Sans conséquence ? J'en déduis donc que nous pouvons nous voir ce soir ?

— P-Pardon ?

— Vous dites que ce qui s'est passé est sans conséquence. Il n'y a donc pas de mal à recommencer, n'est-ce pas ?

Son regard la défiait de le contredire. Ou peut-être était-ce une nouvelle fois une conséquence de la mauvaise qualité de l'image.

— Nous étions deux adultes consentants et, que vous le reconnaissiez ou non, nous avons pris du plaisir, ajouta-t-il.

— Prendre du plaisir n'est pas une fin en soi, dans la vie, riposta Celia.

Elle était amusée par les manières volontairement cavalières de Shane. Mais elle se serait bien gardée de l'admettre.

32

— Détendez-vous. Laissez-moi vous aider à révéler le meilleur de vous-même. Ou le pire... 7 heures, chez moi ?

— J'ai des projets pour ce soir.

— Moi aussi, reconnut-il. A ma décharge, je ne pensais pas que vous accepteriez.

Cette fois, Celia ne put s'empêcher de rire.

— Vous avez un sacré culot !

— Alors ça y est, nous en sommes sortis ?

— Sortis de quoi ?

— Des faux-semblants, des passes verbales, des accrochages permanents ? Ce qui est arrivé est arrivé. Pour mon plus grand plaisir.

— Eh bien...

Celia déglutit. Annoncer sa grossesse par vidéoconférence serait sans doute un peu brutal. De plus, la connexion n'était peut-être pas sécurisée.

Et puis, il y avait la visite de son grand-père. Elle ne pouvait pas encore annoncer la nouvelle à Shane.

On frappa un coup à la porte, et Linzy fit son apparition.

— Mademoiselle Carradine ? Vous avez vu le dernier bulletin météo ?

— Non. Qu'est-ce qu'il dit ?

Elle saisit sa souris, et Shane fronça les sourcils.

— Ne vous avisez pas de me réduire ! gronda-t-il, l'air faussement menaçant.

— Vous êtes au téléphone ? s'enquit Linzy.

— Non, je suis en conférence avec M. O'Connell. Que dit le bulletin ?

— La tempête a changé de cap. Le plus gros devrait épargner nos navires.

— Dieu merci...

Celia soupira, consulta sa montre et sursauta. Son grand-père devait être en train d'atterrir. Même si elle se dépêchait, il y avait de fortes chances qu'elle arrivât en retard.

— Je dois y aller, annonça-t-elle tandis que Linzy se retirait discrètement.

— Qu'est-ce qu'il y a de si important ?

— Affaire de famille.

— Nous oublions donc notre petite incartade ?

— Absolument.

Et elle raccrocha. Elle ne voulait pas faire attendre le roi du Korosol. Surtout pas pour l'impudent Shane O'Connell !


Le grand salon méritait bien son nom, constata le roi en rentrant. Assez vaste pour servir de salle de bal, son plafond avait la hauteur de deux étages. Des panneaux de tissus beige et bleu donnaient à la pièce couleur et élégance, et s'accordaient parfaitement avec le mobilier ancien. De longues baies vitrées donnaient sur une terrasse couverte d'un dais blanc.

Deux jeunes femmes se redressèrent d'un bond lorsque le roi entra et le saluèrent de deux révérences maladroites. Toutes deux étaient aussi ravissantes que blondes. Amelia, qui portait une robe de grand couturier, lui adressa un sourire rassurant.

— Celia ne va pas tarder à arriver.

Lucia, légèrement plus grande et plus élancée, portait pour sa part une robe ample de bohémienne et de grandes boucles d'oreilles qu'elle avait sans doute faites elle-même. Easton se rappelait en effet qu'elle était créatrice de bijoux.

— Venez embrasser votre grand-père, toutes les deux.

Elles s'approchèrent et l'embrassèrent timidement. Elles étaient fraîches comme le printemps.

— Elles sont merveilleuses, dit-il à Charlotte. Vous avez fait des prodiges.

— Je suis encore désolée pour Celia. Elle a un ordinateur dans sa chambre et je lui ai dit qu'elle pourrait…

Elle s'interrompit comme le son de talons claquant sur le sol de marbre se faisait entendre. Une démarche impérieuse, impatiente, nota le roi. Et étrangement familière.

Son cœur se serra. Cassandra marchait comme cela lorsqu'elle était pressée.

— Avec tous ces maudits satellites, on pourrait au moins espérer un minimum de…

Une femme de haute taille venait d'entrer dans la pièce et se figea sur le seuil.

— Oh, il est là. Je veux dire, vous êtes là. Bienvenue à New York, Votre Majesté.

Comme elle faisait la référence, il entendit distinctement ses genoux craquer. Puis elle se redressa et Easton oublia tout lorsqu'il vit enfin son visage de près.

C'était Cassandra qu'il retrouvait dans les traits de sa petite-fille.

Celia rougit. Elle avait raté son entrée. Tout le monde la dévisageait, son grand-père inclus. Il était grand et se tenait très droit, même s'il était plus mince que dans son souvenir. Il paraissait dix ans que moins que son âge et, même si ses cheveux gris étaient clairsemés, son regard vert avait toujours la même incroyable intensité.

Elle espérait qu'il n'allait pas lui faire de reproches. Paulo avait traversé la ville à tombeau ouvert, et son estomac ne s'en était toujours pas remis.

Elle regrettait également d'avoir mis fin de manière si brusque à sa conversation avec Shane. Mais ce n'était guère le moment de penser à cela.

— Je suis désolée d'être en retard. Maman vous a mis au courant, pour la tempête ?

— Oui, ne t'en fais pas, répondit le roi en s'avançant vers elle pour prendre ses mains dans les siennes. Ta conscience professionnelle te fait honneur.

Il parlait avec un délicieux accent français. Lady Charlotte, qui avait ouvert la bouche pour rattraper l'arrivée tonitruante de sa fille, la referma sans rien dire. Amelia paraissait soulagée, Lucia, amusée.

Rien n'avait préparé Celia à l'intensité avec laquelle son grand-père la dévisageait. Jusqu'à cet instant, il avait plus ou moins été une figure de légende. A présent, un invisible courant de reconnaissance et de complicité circulait entre eux.

Celia aurait voulu lui faire poliment la conversation, lui demander comment s'était passé son voyage ou lui proposer quelque chose à boire, mais elle ne put rien dire.

— Tu es le portrait craché de ta grand-mère, murmura le monarque.

— J'en suis très honorée. Nous avons un portrait d'elle, vous savez.

Plusieurs personnes avaient déjà souligné cette ressemblance, qui avait cependant échappé à Celia. Cassandra était très mate, de type méditerranéen, Celia était plus grande et très blonde. Hester Vanderling, la gouvernante de la famille, attribuait leur ressemblance à leurs yeux et à leur menton décidé.

Le roi cligna des paupières comme s'il émergeait d'un rêve, et la relâcha enfin.

— Asseyons-nous, dit-il à ses compagnes. J'ai à vous parler.

— Je vais demander qu'on nous apporte du café, intervint Charlotte.

— Il est un peu tard pour de la caféine, déclara le roi. De la tisane et des biscuits, plutôt.

— Tout de suite.

Charlotte appuya sur un Interphone et transmit la requête du souverain en cuisine. Quelques instants plus tard, une domestique entrait en poussant un chariot chargé d'un magnifique service à thé et de pâtisseries diverses. Charlotte tendit la main vers la théière, puis se ravisa.

— En tant qu'aînée, c'est à toi de servir, dit-elle à Celia.

— Bien sûr, répondit celle-ci avec une assurance feinte.

Ses sœurs la dévisagèrent avec un mélange de surprise et d'anxiété, Celia ayant une réputation de maladresse bien ancrée. Elle se tira cependant de sa tâche honorablement, ne renversant que quelques gouttes à côté des tasses, ce qui lui valut un coup d'œil sévère de sa mère.

Lorsque tous furent servis, le roi posa son regard bleu sur ses compagnes.

— Je vais à présent vous exposer la raison de ma visite.

— Vous n'avez pas besoin de raison pour venir.

— C'est exact. Mais il y en a une.

Depuis que sa mère lui avait annoncé la visite du roi, la veille, Celia avait réfléchi. Elle avait à présent une assez bonne idée de ce à quoi s'attendre.

Trois ans plus tôt, la rumeur avait annoncé que le roi comptait abdiquer pour ses soixante-quinze ans. Mais son fils aîné lui avait encore demandé quelques années de répit, qu'il lui avait accordées.

Puis Byrum était mort, et le royaume et son souverain avaient respecté une année de deuil. Le roi Easton avait sans doute décidé, à présent, de céder le trône à Markus. Ce dernier n'avait en effet jamais caché son vif désir de régner sur le Korosol.

Celia ne savait pas vraiment, en revanche, pourquoi le monarque avait tenu à leur annoncer personnellement la nouvelle. Peut-être venait-il quêter le soutien de sa famille pour le nouveau souverain. Et s'assurer qu'elles se rendraient toutes les quatre au couronnement.

Bien sûr, elles iraient. Celia espérait juste que sa grossesse ne serait pas trop visible.

— J'ai décidé de céder le trône, annonça son grand-père.

— Nous sommes navrées de l'apprendre, déclara Charlotte.

— Ne le soyez pas. Tant que le Korosol sera dirigé par un souverain digne de lui, nous devons nous réjouir.

— Quand le couronnement aura-t-il lieu ? demanda Celia.

— Ça dépend de toi.

— De moi ? répéta-t-elle sans comprendre.

— De toi, oui. Vois-tu, princesse Celia, c'est toi que j'ai choisie pour me succéder.

# 3.

Cette annonce fut suivie d'un silence assourdissant. Celia aurait juré qu'elle entendait la poussière qui virevoltait dans les rais de lumière filtrant par les fenêtres. Et les battements sourds de son cœur.

Le roi plaisantait-il ? Un seul coup d'œil à son visage lui fit comprendre que non.

Sa mère et ses sœurs s'étaient figées. Si la chaise de lady Charlotte avait pris feu, elle n'en aurait pas bougé pour autant.

Reine du Korosol ? Une telle idée n'avait jamais traversé l'esprit de Celia. Même quand, plus petites, ses sœurs et elles jouaient aux princesses.

Certes, elles étaient princesses. Mais à New York, cela ne signifiait rien, si ce n'était la garantie de retrouver son nom dans les colonnes mondaines des journaux.

— Je ne connais même pas le Korosol, dit-elle d'une voix ténue.

Puis, réalisant que cela pouvait paraître impoli, elle ajouta :

— Je veux dire : je ne mérite pas cet honneur. Je n'y suis pas allée depuis l'âge de neuf ans.

— J'en ai bien conscience.

Le roi se radossa à sa chaise, une expression lasse sur le visage.

— Je m'en veux de ne pas avoir insisté pour que vous veniez y passer l'été autrefois. Mais ne t'inquiète pas, tu te familiariseras bien assez vite avec le royaume.

Charlotte toussota avant de pouvoir parler.

— Je… Votre Majesté, je suis stupéfaite. Nous vous sommes toutes incroyablement reconnaissantes de…

D'un geste, le souverain l'interrompit.

— C'est un choix de vie radical, un sacerdoce. De ce fait, et puisque ma petite-fille n'a pas été préparée à assumer ce rôle comme je l'ai été moi-même, je comprendrais qu'elle refuse.

— Elle ne refusera pas ! intervint lady Charlotte.

Celia avait toujours de la peine à se remettre du choc causé par cette nouvelle.

— Je sais que la loi ne le requiert pas, mais j'ai toujours pensé que c'était Markus qui vous succéderait, dit-elle alors.

Son cousin, qui avait cinq ou six ans de plus qu'elle, menait une vie de play-boy dans son grand appartement new-yorkais. Celia, qui l'avait vu plusieurs fois au cours des dernières années, le trouvait à la fois manipulateur et charmeur.

Une ride soucieuse était apparue sur le front de son grand-père.

— J'ai des raisons de penser que Markus n'est pas le meilleur choix. C'est tout ce que je peux dire pour le moment.

Peut-être était-ce le penchant de Markus pour la boisson qui le dérangeait. Elle ne pouvait s'empêcher d'éprouver de la compassion pour son cousin, qui avait toujours espéré succéder à Easton.

— Je crois que Celia fera une reine merveilleuse, annonça Amelia.

La reine Celia du Korosol. Celia savait déjà que son histoire, l'ascension d'une jeune femme new-yorkaise au rang de souveraine, ferait le bonheur des éditeurs, avides de ce genre de biographie romantique.

Romantique ? Aux yeux de certaines personnes, peut-être. Mais elle doutait que Shane en serait impressionné. Il avait été très clair sur le fait qu'il jugeait les gens sur leurs actes, pas sur ce qui leur tombait du ciel.

C'était d'ailleurs la raison pour laquelle le respect de Shane lui importait. Il était droit, honnête, rigoureux. Elle aimait lire son approbation sur son visage, se réjouissait lorsqu'elle soulevait un point auquel il n'avait pas pensé en réunion, et qu'elle décelait de l'admiration dans son regard.

Devenir reine, c'était ne plus jamais le revoir. Un océan les séparerait désormais. Et elle se voyait mal l'appeler pour lui demander conseil sur la façon de gérer le Korosol !

De toute façon, elle n'était pas encore couronnée. Et elle ne le serait sans doute jamais. Car il y avait l'affaire de sa grossesse… Elle n'aurait pu tomber à un pire moment. Celia savait qu'elle aurait dû l'annoncer, mais Charlotte pousserait sûrement un hurlement qui déclencherait toutes les alarmes du quartier. Et Celia ne supporterait pas de lire du mépris dans les yeux de son grand-père…

Malgré tout, il lui fallait donner une réponse.

— C'est une offre très inattendue et flatteuse, Votre Majesté. Je ne saurais l'accepter sans être sûre de me montrer à la hauteur. Puis-je y réfléchir ?

— Il n'y a pas à réfléchir ! intervint lady Charlotte. Si ton père était là…

— Si Drake était là, il serait ravi que sa fille prenne autant l'affaire à cœur, dit le roi. Je suis heureux que tu ne sautes pas inconsidérément sur cette occasion de devenir riche et célèbre, Celia. A partir du moment où tu seras reine, des centaines de milliers de personnes compteront sur toi.

C'était une lourde responsabilité. Et Celia ne voulait pas décevoir son grand-père. Mais accepterait-il encore qu'elle lui succède une fois qu'elle annoncerait sa grossesse ?

— Nous apprendrons à mieux nous connaître au cours des jours prochains, déclara le roi. Cela te donnera l'occasion de réfléchir.

— J'en suis ravie.

Sur ce, le monarque se leva de son siège, et toutes quatre firent de même.

— Je voudrais m'assurer que ma chambre est arrangée selon mes goûts avant qu'Ellie ne parte, dit-il. Nous nous verrons au dîner.

— Laissez-moi vous y conduire, déclara Charlotte.

Elle accompagna le souverain hors de la pièce. Les trois sœurs se dévisagèrent un instant en silence, puis Lucia s'exclama avec un petit rire :

— Heureusement qu'il ne m'a pas choisie moi !

— Oui, renchérit Amelia, je t'imagine déjà en train de transformer le palais en loft comme celui dans lequel tu vis !

— Je suis une artiste, répliqua sa cadette. Et en tant que telle, je n'ai pas à vivre comme les autres l'entendent.

— C'est toi qui ferais une bonne reine, Amelia, intervint Celia. Et tu pourrais continuer de travailler avec la Fondation internationale pour l'enfance. Je suis sûr qu'ils aimeraient une reine comme égérie.

— Je ne suis pas une égérie ! rétorqua l'intéressée d'un ton sévère.

— Bien sûr que non. Ce n'était pas ce que je voulais dire.

La FIE, une organisation caritative, se chargeait de recueillir des enfants abandonnés à l'étranger et de les placer dans des familles d'accueil. Du fait du risque de kidnapping, Amelia utilisait une fausse identité lorsqu'elle partait en mission sur le terrain.

— Tu n'es pas obligée d'accepter juste parce que maman et grand-père le veulent, fit valoir Lucia. Une fois reine, tu n'auras plus un moment à toi. Et tu ne trouveras jamais l'homme de ta vie ! Encore que ce ne soit facile pour personne, même quand on n'est pas reine…

Trois ans plus tôt, Lucia avait été dupée par un fiancé plus intéressé par la fortune familiale que par ses charmes. Elle avait depuis choisi de se concentrer sur son activité de créatrice de bijoux.

— Ne t'avise pas de dissuader ta sœur !

Toutes trois tressaillirent. Leur mère était revenue dans le salon sans qu'aucune ne s'en aperçoive.

— Se voir offrir le trône est un véritable don du ciel, renchérit-elle.

— Ou un cadeau empoisonné, ironisa Lucia.

— Je ne vois pas pourquoi tu éprouves le besoin de me contredire sans cesse, fit sa mère avec un claquement de langue réprobateur. Comme s'il n'était pas suffisant que tu vives à Soho et fréquentes tous ces artistes…

Celia n'était guère d'humeur à entendre ces vieux reproches, mille fois ressassés.

— J'espère que grand-père se rend compte que je ne pourrai pas être à sa disposition vingt-quatre heures sur vingt-quatre.

— Il a rendez-vous demain matin à l'ambassade. Tu pourras donc te rendre à ton déjeuner avec Shane. A présent, un peu de silence, toutes les trois, j'aimerais dire quelque chose.

— Oh-oh, marmonna Lucia.

Amelia lui décocha un regard de reproches, et les trois sœurs prirent place dans le canapé.

— Avant de commencer, reprit Charlotte, je ne vois pas l'intérêt de laisser tout ça se perdre.

Elle se servit une tranche de gâteau, ce qui étonna Celia. Sa mère ne s'accordait que rarement ce genre de plaisir. L'arrivée du roi l'avait tellement préoccupée qu'elle avait dû en oublier de manger.

Après avoir grignoté trois bouchées et s'être essuyé les lèvres avec le coin d'une serviette blanche, Charlotte déclara :

— Vous savez que j'ai travaillé dur, durant toutes ces années, pour DeLacey. Et vous savez que ce n'était pas vraiment par choix…

— … mais pour nous, acheva Amelia.

— Après la mort de votre père, les choses n'ont pas été faciles. Il y a vingt ans, les femmes n'étaient pas très bien vues dans le milieu du travail, surtout dans les hautes fonctions de l'entreprise.

Celia ne le savait que trop. Elle-même, aujourd'hui encore, recevait son lot de remarques sournoises ou méprisantes de la part de concurrents ou de clients potentiels.

— Et même si je vous savais en de bonnes mains avec Hester, reprit leur mère, j'aurais voulu pouvoir passer plus de temps avec vous. Je sais que je n'ai pas toujours été là à des moments où vous auriez sans doute eu besoin de quelqu'un à qui parler.

Une fêlure dans sa voix révélait une vulnérabilité que Charlotte ne laissait que rarement paraître. Mais Celia savait que si les choses étaient à refaire, sa mère prendrait les mêmes décisions. Sa fierté ne lui aurait pas permis de laisser l'entreprise familiale partir à vau-l'eau.

— Mais plus que tout, je regrette de ne pas vous avoir inculqué une plus grande curiosité pour l'histoire de votre père et de son pays. Ce n'est pas la faute du roi si nous n'avons pas maintenu plus de contacts, mais la mienne.

— Je ne sais pas comment nous aurions pu faire mieux, à moins d'aller vivre là-bas à plein temps, dit Lucia. Nous sommes américaines, après tout.

— Vous avez la double nationalité, ne l'oubliez pas ! Si j'avais soupçonné qu'un jour pareil arriverait… Bref, j'espère que Celia sera à la hauteur d'une telle proposition. Et dans le cas contraire, je tiens à ce que le roi puisse compter sur vous, Amelia et Lucia. Me fais-je bien comprendre ?

Celia s'empourpra, irritée de voir que sa mère envisageait qu'elle pût lui faire défaut. Elle avait toujours soutenu Charlotte, toujours

44

fait ce que celle-ci exigeait d'elle, acceptant dès l'adolescence de se rendre dans des bals stupides et autres événements mondains. Et elle avait choisi de faire des études qui lui permettraient un jour de reprendre les rênes de DeLacey.

A présent, elle était prête à prendre celles de la monarchie. A moins qu'on ne les lui refuse lorsqu'on apprendrait la nouvelle. Cette idée lui donnait envie de pleurer.

Eh bien, elle ne pleurerait pas. D'une façon ou d'une autre, elle trouverait un moyen de se sortir de là.

Shane aurait aimé pouvoir lire dans les pensées de Celia. Quelque chose devait la préoccuper, avait-il fini par conclure durant le repas. Heureusement, le représentant chinois, M. Wong, semblait n'avoir rien remarqué.

Mais toute personne la connaissant aurait aussitôt noté son air absent. Elle semblait également plus douce, et ses joues avaient des couleurs inhabituelles. Shane ne pouvait s'empêcher de la dévorer du regard.

Il fut content de constater que le soleil s'était décidé à percer les nuages quand ils sortirent enfin. Malgré le froid, des mères poussaient leur landau dans Central Park.

— Marchons un peu, dit-il lorsque M. Wong eut disparu dans son taxi.

— Marcher ?

— Je vais vous raccompagner chez vous, si vous voulez. A moins que vous n'alliez au bureau ?

— Non, je rentre.

Repoussant une mèche de cheveux blonds de ses yeux, elle voulut descendre du trottoir alors que le feu était vert pour les voitures. Shane la retint vivement par le bras.

— Mais qu'est-ce qui vous arrive, aujourd'hui ?

— Je suis un peu distraite, c'est tout.

— Dites-moi que c'est à cause de mon charme.

— J'aimerais bien, mais ce n'est pas le cas.

Le feu passa au rouge et ils purent enfin traverser, au milieu d'une véritable marée humaine. Sans raison, Shane éprouva le besoin de la protéger contre tous ces gens.

— Qu'est-ce qui ne va pas ? demanda-t-il de nouveau. Je peux vous aider ?

— Vous voulez m'aider ? répéta-t-elle avec surprise.

Se sentait-elle humiliée qu'un autodidacte comme lui, issu d'un milieu modeste, se mît en tête de l'aider ? Non, Celia ne lui avait jamais paru si snob.

— Si je le peux, oui. Que se passe-t-il ?

— C'est personnel.

Personnel. Ce qui signifiait qu'elle voyait un autre homme. L'idée déplaisait fort à Shane.

Ils pénétrèrent dans le parc. La plupart des autres promeneurs étaient des mères avec leurs enfants ou des étudiants en goguette. Sur le lac, quelques courageux faisaient du patin. Une minuscule ballerine fit une triple pirouette, puis perdit l'équilibre et tomba sur les fesses.

— Alors ? reprit Shane. Il travaille dans le fret, lui aussi ?

— Qui ça ?

— Votre problème personnel.

Celia éclata de rire.

— Je n'arrive pas à y croire !

Shane se rendit compte qu'elle le croyait jaloux. Evidemment, cela n'avait rien à voir.

— Vous savez, c'était juste pour dire quelque chose.

— C'est un problème familial. Je suis désolée, mais je ne peux pas en dire plus pour le moment. Ma famille est très attachée à la discrétion.

N'ayant plus eu de famille depuis l'âge de douze ans, Shane ignorait quel genre de problème pouvait bien nécessiter une telle confidentialité. Une chose était sûre : il n'appréciait guère d'être traité en étranger.

— Nous sommes pratiquement associés. Vos affaires sont les miennes.

— C'est privé, dit la jeune femme. Rien à voir avec nos affaires.

Le froid lui avait rougi les joues. Shane l'observa durant quelques secondes, puis décida d'abandonner le sujet. Il lança donc la conversation sur M. Wong.

Celia se détendit visiblement. Shane était sûr que ce n'était plus qu'une question de minutes avant qu'elle n'avoue enfin ce qui la perturbait...


Elle devait parler à Shane de sa grossesse, songeait Celia. Mais elle ne pouvait le faire sans évoquer les conséquences que cela risquait d'avoir sur son accession au trône. Or, ce dernier point était un secret d'Etat.

De toute façon, Shane n'était pas particulièrement pressé d'être père. Il le lui avait clairement fait comprendre. Et à force de travailler dans un environnement masculin, elle avait appris que les hommes réagissaient à un problème en essayant de le résoudre sur-le-champ. Ce qui ne la gênait pas dans le monde des affaires lui plairait sans doute beaucoup moins dans le domaine personnel.

Central Park, lorsqu'elle était avec Shane, lui semblait un endroit différent. Elle le traversait en général en songeant à son dernier bilan comptable ou aux marchés à conquérir. Aujourd'hui, cependant, elle ne voyait que Shane, la façon dont la pâle lumière de l'hiver jouait sur ses traits...

Quel genre de père ferait-il ? Celia étudia un bambin emmitouflé qui jouait au ballon avec son père et essaya d'envisager Shane dans cette situation. C'était pour le moins difficile...

Mais puisqu'elle l'avait à son entière disposition pour quelques instants, autant lui poser les questions qui lui brûlaient les lèvres depuis un certain temps.

— Ça vous dérange si je vous demande quelque chose de personnel ?

— Essayez toujours.

— J'ai entendu dire que vous étiez orphelin.

Rien sur le visage de Shane ne lui indiqua qu'elle s'aventurait en territoire interdit, et elle poursuivit :

— J'ai également lu que vous aviez transformé une compagnie de fret aérien au bord de la faillite en acteur majeur du marché.

— Vous avez oublié de parler de mon extraordinaire flair pour les bonnes affaires et de ma déontologie sans faille. Mais à part ça, vous avez tout juste.

— Ce que je ne comprends pas, c'est comment vous avez pu acquérir cette compagnie aérienne à vos débuts.

— Réanimation cardiaque.

— Pardon ?

— On nous apprenait ça à l'orphelinat. Ils s'imaginaient sans doute que nous finirions par leur donner une attaque cardiaque, et que ça pourrait servir.

— Quel rapport avec le transport aérien ?

— Après mon bac, j'ai décroché un emploi à mi-temps dans la compagnie en question, à l'aéroport de Long Beach. Le patron, Morris O'Day, a fait une attaque trois jours après mon arrivée. Pendant que tout le monde attendait les secours, je lui ai fait un massage cardiaque.

— Et vous lui avez sauvé la vie ?

— C'est en tout cas ce que Morris s'est dit. Une fois remis, il m'a pris sous son aile et m'a appris les ficelles du métier.

— Vous devez l'avoir impressionné pour qu'il aille jusque-là.

— Nous sommes devenus amis. Plus qu'amis, même. Morris a remplacé le père que j'avais à peine connu. Je le décris habituellement comme mon mentor, mais il était bien davantage.

— Vous en parlez au passé. Il est mort ?

— Cinq ans plus tard, j'avais vingt-deux ans, il a eu une nouvelle attaque. Cette fois, je n'ai rien pu faire. A ma grande stupeur, j'ai découvert qu'il m'avait légué la compagnie. Les comptes étaient dans le rouge, les locaux hypothéqués et les avions obsolètes, mais ça m'a permis de démarrer.

— Il n'avait pas de famille ? Pas le moindre héritier ? C'est triste…

— Il avait un héritier, répondit Shane un peu sèchement. Moi.

Celia comprit qu'elle l'avait offensé.

— Bien sûr. Vous comptiez beaucoup pour lui.

— Je n'avais pas eu une vie facile. J'avais tout acquis à la force du poignet. Et lui aussi. C'est ce qui nous rapprochait. Et c'est sans doute ce que vous avez du mal à comprendre.

Celia fronça les sourcils. Elle devait bien reconnaître que sa vie avait été plus facile que celle de Shane, même si elle avait travaillé tout aussi dur. Jamais elle ne serait devenue vice-présidente à vingt-neuf ans si sa mère n'avait pas été P.-D.G. de DeLacey.

Elle s'était cependant montrée à la hauteur de ce poste et avait fait beaucoup pour DeLacey. Evidemment, son succès n'était pas comparable à celui de Shane, l'enfant prodige du secteur. Mais elle était incapable de dormir seulement cinq heures par nuit, comme il avait la réputation de le faire.

— Inutile de devenir agressif, répondit-elle comme ils arrivaient en vue de son immeuble. Je n'ai rien dit de mal.

— Non. Je ne fais que souligner que nous venons de deux milieux complètement différents. Je ne vous en veux pas, et j'espère que vous ne m'en voulez pas non plus.

Ils parvinrent à cet instant devant la porte de l'immeuble, et ils se serrèrent la main avec un formalisme affecté.

— Je vous contacte dès que j'ai des nouvelles de Wuhan, déclara Shane avec raideur.

Elle le regarda s'éloigner, fascinée par l'aisance avec laquelle il fendait la foule qui venait à contresens. Un picotement lui parcourait encore la main.

Si son grand-père acceptait toujours qu'elle soit reine après avoir appris qu'elle était enceinte, cela signifiait qu'elle ne s'occuperait pas du dossier Wuhan, réalisa-t-elle brusquement. Et cela signifiait également qu'elle ne reverrait sans doute jamais Shane O'Connell.

Quand elle regarda de nouveau la rue qu'il avait empruntée, il avait disparu.

# 4.

En regagnant l'appartement, Celia constata que les gardes royaux étaient absents. Cela signifiait donc que le roi n'était pas encore rentré.

Et c'était tant mieux. Car elle avait besoin de temps pour réfléchir et prendre une décision. C'était en général le genre de moment où une femme demandait conseil à sa mère, mais Celia savait ce que Charlotte lui dirait : a) Cet homme n'est pas fait pour toi, b) Bien sûr que tu seras reine, et c) Tu es *quoi* ?

Elle fut donc soulagée d'apprendre de la bouche d'Hester que sa mère venait de se rendre au bureau. Amelia était pour sa part en train de travailler dans sa chambre. Il n'y avait personne d'autre dans l'appartement.

— La cuisinière et son assistante doivent travailler tard, ce soir. Ta mère leur a donc donné leur après-midi, expliqua la gouvernante.

Hester et son mari Quincy occupaient des appartements privés. Mais comme ils vivaient sous le même toit, ils étaient en général disponibles, même s'ils n'étaient pas de service. Ce qui était le cas d'Hester en cet instant.

— Est-ce qu'on pourrait parler ? demanda Celia.

La gouvernante parut surprise et heureuse à la fois.

— J'en serais ravie.

51

Celia s'était souvent confiée à elle lorsqu'elle était plus jeune. Elle l'avait moins fait ces derniers temps, consciente qu'il lui appartenait de résoudre ses propres problèmes. Quoi qu'il en soit, avec son bon sens et son indéfectible loyauté aux Carradine, Hester était la personne idéale à qui parler.

Elles venaient de pénétrer dans la cuisine lorsqu'un bruit de lutte leur parvint de la terrasse.

— Je te tiens, espèce de vaurien ! rugit la voix de Quincy Vanderling.

— Oh, mon Dieu !

Hester appuya aussitôt sur un bouton pour appeler la sécurité.

Celia franchit la baie vitrée donnant sur la terrasse. Elle vit le majordome aux prises avec un homme au teint mat et aux cheveux sombres. Âgé d'une quarantaine d'année, l'intrus était mince mais musclé, et se débattait farouchement, ceinturé par Quincy.

— Il était dans la cuisine ! s'exclama Quincy en avisant les femmes. Je l'ai surpris et je l'ai poursuivi jusqu'ici.

L'autre cessa de se débattre et sourit à Celia.

— Bonjour, princesse, fit-il avec une familiarité onctueuse. Pourquoi ne rappelez-vous pas votre vieux chien de garde avant qu'il ne se blesse ?

Winston Rademacher. Celia ne l'avait pas vu depuis plusieurs années, mais elle aurait reconnu ce sourire chafouin et ces yeux qui semblaient loucher entre mille.

Depuis l'autre bout de la terrasse, deux gardes de lady Charlotte arrivèrent en courant.

— Attendez, fit Celia en les arrêtant d'un geste. C'est le conseiller de mon cousin Markus.

Quincy lâcha brusquement l'homme.

— Vous travaillez pour Markus Carradine ? Pourquoi n'en avoir rien dit ?

— Parce que personne ne m'en a donné l'occasion.

— Que faites-vous ici ? interrogea Celia.

Rademacher détourna le regard.

— Je cherche le roi. Je suis venu à New York sur la demande de Markus pendant qu'il règle quelques affaires au Korosol.

Les rares fois où Celia l'avait rencontré, Rademacher lui avait paru dangereux. Elle espérait que Markus avait fait des recherches sur son passé. Il était visiblement entré par effraction, mais elle ne voulait pas offenser son cousin en jetant son conseiller dehors.

— Vous pouvez y aller, dit-elle aux deux gardes. Mais avant, veuillez vérifier les serrures des portes qui donnent accès aux escaliers externes.

C'était sans doute par là qu'il était entré. Un point faible de la sécurité, mais l'escalier de secours était un élément obligatoire.

— Vous avez été très courageux, Quincy. Merci d'être intervenu.

— Ce n'était absolument pas nécessaire, lança Rademacher d'un ton venimeux, avant de se glisser dans la cuisine.

— Monsieur Rademacher.

La voix de Celia avait claqué comme un coup de fouet, et il se figea alors qu'il tendait la main vers la cafetière.

— Votre comportement est inacceptable.

— Vraiment, princesse ?

Malgré son ton de défi, il paraissait mal à l'aise.

— Vous n'avez pas à entrer ici sans vous annoncer. Le roi n'est pas là. Si vous voulez le voir, je vous suggère de vous rendre à l'ambassade. Sans plus tarder, ajouta-t-elle.

Une expression de colère apparut sur les traits de Rademacher, mais laissa place bien vite à de l'obséquiosité.

— Comme vous voudrez, princesse.

— Je vous raccompagne, annonça Hester.

Elle sortit avec Rademacher. Quincy les suivit, surveillant le moindre mouvement de l'intrus.

Après quelques instants, Hester revint seule.

— Nous l'avons mis dans l'ascenseur, annonça-t-elle. Quel type répugnant.

— Quincy va bien ?

— Plus que bien. Un peu d'exercice lui donne l'impression de rajeunir. Prenons ce café, maintenant.

Elles s'assirent face à face à la table de la cuisine, une tasse fumante en main. Sur la terrasse, une haie d'arbres bloquait la vue sur la ville. Celia se remémora son enfance, les heures passées à jouer au soleil, dans l'odeur entêtante des roses, ou à écouter Hester leur raconter de vieux contes du Korosol alors qu'il pleuvait.

— Qu'est-ce qui te tracasse ? demanda la gouvernante.

Celia prit une profonde inspiration. Elle devait annoncer la nouvelle, et plus elle attendrait, plus ce serait difficile.

— Hester, je suis enceinte.

L'intéressée la dévisagea d'abord avec surprise, puis sourit :

— Eh bien, quelle nouvelle… C'est peut-être la meilleure chose qui pouvait t'arriver.

— Pardon ?

— Il est temps que tu te rendes compte que tu es une femme. Tu as nié tous tes instincts féminins depuis la mort de ton père.

— Pas du tout ! protesta-t-elle.

— Comme si tu voulais devenir l'homme de la famille, poursuivit la gouvernante. A une époque, tu ne voulais porter que des pantalons. Ta mère s'arrachait les cheveux.

Celia ne put retenir un sourire. Peut-être y avait-il du vrai dans ce que disait Hester, après tout.

— Quoi qu'il en soit, marmonna la jeune femme, je ne suis pas sûre que ce soit la meilleure façon de redécouvrir mes instincts. C'est une catastrophe.

— Ça dépend qui est le père. Encore un peu de café ? Je crois que nous allons en avoir besoin. Tu veux des gâteaux ?

— Je ne sais pas. Je vais bientôt être grosse comme une baleine, je ne sais pas si c'est la peine d'en rajouter. Quant au père, il ne veut pas d'enfant.

— Il est marié ? s'enquit Hester, posant une assiette de gâteaux sur la table.

— Bien sûr que non ! Il ne fait plus partie de l'histoire.

— Dommage. J'espérais que tu avais trouvé quelqu'un de spécial.

— Je pourrais prétendre avoir recouru à une insémination artificielle ? Maman ne me croirait jamais, mais peut-être que les médias… Non, bien sûr, ils ne tomberont pas dans un piège aussi gros.

— L'honnêteté est toujours la meilleure des politiques, souligna Hester, mordant dans un gâteau au citron.

— C'est ce que j'ai toujours cru. Maintenant, je n'en suis plus si sûre. Les idées les plus saugrenues me traversent l'esprit. J'ai lu l'histoire de cette actrice, autrefois, qui a eu un enfant illégitime. Elle a porté des vêtements amples pendant toute sa grossesse, a accouché en secret et confié l'enfant à un orphelinat pour l'adopter peu de temps après.

— Tu sais très bien que c'est ridicule.

— Oui, je le sais. Je suis perdue. Je n'avais pas prévu d'être mère.

— Je m'occuperai de l'enfant comme je me suis occupée de vous trois.

— Non, ça te forcerait à rentrer au Korosol, et maman en ferait une attaque.

— Au Korosol ? Qu'est-ce que tu irais faire là-bas ?

Celia savait que ce n'était pas à elle d'annoncer une telle nouvelle.

— Ma mère te l'expliquera très bientôt. Cette grossesse ne pouvait pas tomber à un plus mauvais moment.

— Revenons-en au père. Il va bien finir par s'apercevoir que tu es enceinte. Il voudra avoir son mot à dire.

— Tu ne connais pas Shane.

Le nom lui avait échappé. Celia se serait donné des claques. Mais il était trop tard pour le regretter.

— Shane O'Connell est le père de ton enfant ? Mais je croyais que vous vous disputiez tout le temps ?

— Pas tout le temps, comme tu peux le voir…

Celia fut interrompue par un bruit dans l'escalier du cellier, et fronça les sourcils.

— Qu'est-ce que c'est que ça ?

— Si ce sont des termites, elles sont plus grosses chaque année.

Hester ouvrit la porte et jeta un œil dans l'escalier.

— Il n'y a rien.

— Tu ne crois pas que…

— Je ne crois rien du tout, si ce n'est que tu te fais du souci pour rien et que ce n'est pas bon pour le bébé. Tu as vu un médecin ?

— Bien sûr.

— Tu as les informations nutritionnelles ?

— Dans ma chambre.

— Tu les donneras à la cuisinière. Elle n'a pas besoin de savoir pourquoi. Et en attendant, suis mon conseil et informe le père avant qu'il ne l'apprenne par quelqu'un d'autre.

— Ça ne risque pas d'arriver. Tu es la seule à le savoir.

— Malgré tout…

Hester s'interrompit car Amelia venait d'arriver dans la cuisine. Son regard s'illumina lorsqu'elle aperçut les gâteaux.

— Parfait, je mourais de faim !

Celia se demanda si sa sœur avait entendu leur conversation. Même dans ce cas, elle savait qu'Amelia garderait le secret.

Le roi revint bientôt de l'ambassade, accompagné de sa secrétaire et de son conseiller, et Charlotte arriva peu après. La fin de la journée et la soirée passèrent si rapidement que Celia n'eut pas le temps d'appeler Shane pour lui donner rendez-vous, comme elle en avait l'intention. De toute façon, cela pourrait sans doute attendre le lendemain…

Le vendredi matin, Shane se leva comme il en avait l'habitude à 5 heures. Après s'être habillé et douché, il se connecta à Internet pour voir quelles étaient les nouvelles du jour. Tout ce qui se passait affectait en effet l'industrie du fret : catastrophes naturelles, coups d'Etat, variation des prix du pétrole…

Il nota un changement de règlement régissant le port de Gênes et constata que les travaux d'approfondissement de celui de Shanghaï progressaient conformément au calendrier.

Il était de bonne humeur, et son alliance avec DeLacey n'y était pas pour rien. Alliance financière, bien sûr, mais c'était à une tout autre alliance, plus intime, qu'il pensait. Le parfum de Celia lui semblait encore flotter dans son appartement. Mais il savait que ce n'était qu'un effet de son imagination.

Il regrettait de l'avoir quittée si brusquement la veille. Il n'avait pas voulu la repousser, pourtant c'était exactement ce qu'il avait fait. Il était vrai qu'il avait mal pris cette remarque sur le fait que Morris n'avait pas de famille. Une famille, ce n'était pas seulement une femme ou des enfants. Ce pouvait être la rencontre de deux personnes différentes, une relation d'amitié fondée sur une estime réciproque…

Mais la jeune femme ne pouvait pas comprendre la force de son affection pour Morris. Elle n'avait pas connu les orphelinats, les familles d'accueil.

Bon, ce n'était pas une raison pour s'emporter contre Celia. Sitôt qu'il la reverrait, il lui présenterait ses excuses.

A 6 h 30, il entendit Ed s'affairer dans la cuisine. Quand l'odeur du bacon grillé monta jusqu'à sa chambre, Shane se déconnecta et descendit enfin. Ed vivait en célibataire dans un appartement voisin du sien. Il avait des aventures, mais Shane ne lui connaissait aucune compagne stable.

— Ça sent merveilleusement bon ! annonça-t-il en entrant dans la cuisine et en s'attablant.

Les journaux du jour étaient posés près de son assiette. Etrangement, Ed avait placé le *Manhattan Chronicle* par-dessus le *Wall Street Journal*. Plus étrange encore, il l'avait ouvert sur les pages mondaines. Shane les parcourait à l'occasion, mais il n'était pas d'humeur à les lire ce matin. Il prit donc directement le *Wall Street Journal* et fut satisfait de constater que la valeur d'O'Connell avait légèrement progressé alors que les marchés avaient fermé à la baisse.

Ferguson, qui préférait prendre son petit déjeuner debout, toussota. Shane l'ignora, absorbé par un article sur la situation économique en Russie. Puis, après avoir terminé son petit déjeuner diététique – ersatz d'œufs, cottage cheese 0% et fruits, bacon de dinde – il mit les journaux dans son attaché-case, dit au revoir à son assistant et partit.

Quand il arriva à l'immeuble abritant ses bureaux, l'ascenseur était, comme d'habitude, bondé. Shane fut troublé de constater que plusieurs personnes le regardaient curieusement. Il se demanda s'il avait une tache sur le menton. Au trente et unième, il se rendit dans les toilettes pour hommes et se regarda dans le miroir. Rien de notable, si ce n'était qu'il avait besoin d'une bonne coupe de cheveux. Nul doute que Tawny s'était occupée de prendre rendez-vous pour lui chez le coiffeur.

Il entra dans son bureau, et fut comme chaque fois satisfait d'entendre les téléphones sonner, les faxes biper, les gens s'interpeller. Aujourd'hui, cependant, le bruit ambiant parut diminuer quand il arriva, et de nombreux visages se tournèrent vers lui.

Avait-il manqué une nouvelle importante ? C'était peu probable. Si un de leurs avions s'était écrasé, il en aurait été averti. Peut-être son personnel lui préparait-il une surprise, alors ? Mais son anniversaire était en septembre.

En entrant dans son bureau, Shane vit une employée du marketing qui discutait avec animation avec Tawny. La jeune femme se fendit d'un « Bonjour, monsieur O'Connell » nerveux avant de s'éclipser.

— Mais qu'est-ce qui se passe aujourd'hui ? demanda Shane.

— Pardon ? fit sa secrétaire.

— Tout le monde a l'air bizarre. Comme si les gens savaient une chose que j'ignorais.

— Ne me dites pas que Ferguson ne vous a rien dit. Qu'il vous a laissé partir comme ça.

Shane se rappela en frissonnant le *Manhattan Chronicle* ouvert sur les pages mondaines. A l'évidence, il était mentionné dans l'éditorial de Krissy Katwell.

Mais il eut beau fouiller dans son esprit, il ne vit pas ce qu'il avait pu dire ou faire cette semaine pour lui valoir un si douteux honneur.

— C'est bon, ne me dites rien, je verrai bien par moi-même.

— Oh, j'en suis sûre, dit sa secrétaire. A propos, si vous ne voulez pas des fleurs, je pourrai les emporter ?

— Quelles fleurs ?

— Vous verrez.

Il pénétra dans son bureau. Un énorme bouquet de lis blancs et de roses reposait sur une table basse. Complètement décontenancé, Shane lut la carte qui y était attachée : « Félicitations, cachottier ! »

Elle était signée de son directeur du personnel, de la part de tous ses employés. Médusé, Shane se laissa tomber sur son canapé et sortit le *Manhattan Chronicle* de son attaché-case.

En avisant l'éditorial, il se demanda comment il avait pu le manquer. Le titre, en caractères gras, sautait aux yeux : « Heureux événement chez les Carradine ».

# 5.

En général, les Carradine lisaient le journal au petit déjeuner. Mais du fait de la présence de leur hôte, cela parut impoli à lady Charlotte, qui mit le *Chronicle* et le *Times* de côté.

La cuisinière, Bernice Styles, une femme ronde et rubiconde, avait préparé un petit déjeuner buffet. Le choix était bien plus important que d'ordinaire, mais Celia se contenta d'un bol de céréales, recommandées dans ses dépliants diététiques.

Lucia les rejoignit peu après, venue tout droit de Soho.

— Désolée de ne pas avoir pu être là hier, dit-elle en prenant place. J'ai manqué quelque chose d'excitant ?

— Nous avons surpris Winston Rademacher sur la terrasse, annonça Celia.

Charlotte faillit s'étrangler avec une bouchée de pancake.

— Tu ne m'avais pas dit ça !

— Je pensais que ça figurerait dans le rapport de sécurité.

A dire le vrai, Celia avait tellement été absorbée par le problème de sa grossesse qu'elle avait complètement oublié cet incident.

— Je ne l'ai pas lu, reconnut sa mère.

— Ce type est entré au nez et à la barbe des gardes ? demanda le roi, serrant les poings. Il vous a menacées ?

— Non. Il venait d'entrer quand Quincy, notre majordome, l'a surpris.

— Il y a motif de s'inquiéter ? demanda Charlotte au roi.

— J'espère que non.

— Rademacher a dit qu'il était envoyé par Markus pour vous saluer, expliqua Celia. J'ai essayé de me montrer diplomate, mais je ne lui fais pas confiance et je l'ai fait reconduire.

— Tu as bien fait. C'était très courageux.

— C'est Quincy qui a été courageux.

— C'est tout à ton honneur de rendre aux autres le crédit qui leur revient.

Son grand-père lui adressa un sourire approbateur. Ce qui rappela à Celia qu'elle devait annoncer la nouvelle de sa grossesse aujourd'hui même. Elle le dirait d'abord à sa mère, à part, puis toutes deux iraient exposer la situation au roi et attendraient son verdict.

Le peu de dispositions de Shane à l'égard des enfants s'avérerait peut-être un avantage. Il n'exigerait pas de devenir consort royal, et ils n'auraient pas à se soucier de la réaction du peuple du Korosol.

Mais ce même peuple accepterait-il une mère célibataire en guise de reine ? Oui, songea-t-elle. Qui pouvait rester insensible à une naissance royale ?

Se détendant quelque peu, elle but une gorgée de jus d'orange. Pour la première fois depuis l'annonce de sa grossesse, elle sentit son moral remonter en flèche.

Des pas rapides se firent entendre dans le couloir, et le capitaine de la Garde royale apparut. Il s'inclina devant le roi.

— Veuillez m'excuser, Votre Majesté. La princesse Celia a un visiteur.

— Elle ne reçoit en général pas de visites pendant le petit déjeuner, répondit lady Charlotte.

— C'est qu'il insiste. Il affirme être votre associé. Un certain Shane O'Connell.

— Oh, fit Charlotte en s'illuminant. Bien sûr, faites-le entrer.

— Très bien, madame.

Le pouls de Celia s'était emballé. Que venait faire Shane ? L'affaire devait être urgente pour qu'il se fût déplacé en personne.

— Doit-on le laisser voir grand-père ? intervint Amelia. Sa visite est censée être secrète.

— Merci de ta prévenance, répondit l'intéressé, mais je n'ai pas pour autant l'intention de raser les murs. C'est la presse que j'évite.

Celia s'essuya les lèvres et regretta de ne pas avoir mis quelque chose de plus sexy qu'une jupe longue et une tunique assortie. Mais au moins n'était-elle pas en pyjama.

— Votre Majesté, mesdames, M. Shane O'Connell, annonça le capitaine de la Garde.

Sur un signe de tête du roi, il se retira. Shane dévisagea Easton avec étonnement.

— Votre Majesté ? répéta-t-il. J'ignorais que j'interrompais une occasion si exceptionnelle.

Charlotte se leva gracieusement.

— Votre Majesté, laissez-moi vous présenter M. Shane O'Connell. Sa société et la nôtre ont conclu un partenariat. Monsieur O'Connell, voici le roi Easton du Korosol.

Le roi lui tendit la main. Shane la serra, encore sous le coup de la surprise, avant de saluer d'un signe de tête Amelia et Lucia lorsque lady Charlotte les lui présenta.

Celia remarqua qu'il avait un journal sous le bras. Etait-il venu parler affaires ? Et si c'était le cas, pourquoi ne pas avoir téléphoné ?

— Joignez-vous à nous, dit lady Charlotte en reprenant son siège.

— Merci, mais j'ai déjà mangé.

Celia ne résista pas plus longtemps à sa curiosité.

— Vous venez pour affaires ? demanda-t-elle.

— Pas exactement. J'espérais que vous pourriez m'expliquer ceci.

Il posa le journal sur la table. C'était le *Chronicle*, ouvert sur l'éditorial de Krissy Katwell. Lorsque Celia en vit l'intitulé, elle pria très fort pour pouvoir s'évanouir aussitôt dans un nuage de fumée.

Malheureusement, son souhait ne fut pas exaucé.

Dans le taxi qui l'avait conduit jusque-là, Shane avait répété les questions qu'il comptait poser à Celia. Portait-elle son enfant ? Et si c'était le cas, pourquoi ne lui en avait-elle rien dit ?

Il savait qu'elle n'était pas stupide au point d'avoir tout dit à Krissy Katwell. Mais si cette dernière avait appris la nouvelle, c'était que Celia s'était confessée à quelqu'un. Et ce quelqu'un aurait dû être lui.

Il ne s'était certes pas attendu à trouver un comité d'accueil si impressionnant. Et bien qu'il répugnât à déballer son linge sale en public, il s'était vite fait une raison. Après tout, des milliers de gens devaient à présent être au courant. Il était donc inutile de faire l'autruche.

Pour une fois, Celia était muette. Elle restait assise, une expression horrifiée sur le visage, évitant le regard des autres. Il était évident, à en juger par sa réaction, qu'elle n'avait rien dit à sa famille.

Charlotte fut la première à recouvrer ses esprits.

— C'est parfaitement ridicule ! Comment cette femme ose-t-elle colporter pareils ragots ? Elle essaie de ternir notre réputation, voilà tout !

— Celle de M. O'Connell également, fit l'une des sœurs, dont il supposa que c'était Lucia.

— C'est vrai ? demanda tranquillement le roi.

— Bien sûr que non ! rétorqua lady Charlotte. Ma fille et M. O'Connell ne sont rien de plus que des associés !

Celia pâlit. Shane espéra qu'elle n'allait pas s'évanouir, et sa colère s'évapora brusquement. Il aurait voulu pouvoir la protéger des autres.

— Je ne vois pas comment…, bredouilla la jeune femme. Comment elle…

— Mais c'est un tissu de mensonges, voyons !

Charlotte, à présent, paraissait nettement moins sûre d'elle.

— C'en est un ? renchérit Shane.

— Comment pouvez-vous poser une telle question ? fit lady Charlotte. Vous devez bien le savoir ! A moins que… que vous n'ayez…

— Celia ? demanda gravement le roi.

Celia ne ressemblait plus à une femme d'affaires sûre d'elle et impitoyable. Ses yeux verts s'étaient remplis de larmes, sa lèvre inférieure s'était mise à trembler.

— Oui, murmura-t-elle d'un filet de voix.

— Tu es enceinte ? fit Shane, qui en oublia tout formalisme. Pourquoi ne m'avoir rien dit ?

Il préférait se focaliser sur sa trahison plutôt que sur la portée de cette révélation : à savoir qu'il allait être père.

— Tu as dit que tu ne voulais pas d'enfants…

— En théorie ! Tu m'as demandé d'apparaître dans une publicité télévisée !

— Vous voulez dire que vous deux… Et quand tu as su que tu étais enceinte… tu ne m'en as rien dit, à moi, ta propre mère ! bredouilla lady Charlotte.

— C'est à Shane qu'elle aurait dû annoncer la nouvelle en premier, fit valoir Lucia.

— Je suis désolée, grand-père, murmura Celia. Je comptais vous le dire.

Pourquoi s'excusait-elle auprès du roi ? se demanda Shane. Apparemment, elle n'avait pas vraiment le sens des priorités !

64

— Avec tout le respect que je vous dois, Votre Majesté, c'est une affaire entre la princesse et moi.

— J'ai bien peur que ce ne soit pas aussi simple, répondit le roi en prenant appui sur la table pour se lever. Nous devons en discuter dehors, jeune homme.

L'espace d'un instant, Shane s'imagina le roi dégainant une épée pour le défier en duel. Pour la première fois, il regretta de ne pas avoir appris l'escrime.

— Je vais chercher votre manteau, Majesté, déclara Charlotte en se levant précipitamment de sa chaise. A moins que vous ne préfériez aller dans le salon familial ? Il est juste à côté.

— Non, merci. Dans cette maison, il semble que les murs aient des oreilles.

— Je suis sûre que personne ici n'est responsable de ce qui s'est passé. Mais vous pouvez utiliser la terrasse, si vous voulez.

La gouvernante leur apporta des manteaux, et Shane accompagna le roi sur un patio qui devait être merveilleusement agréable en été. Easton, à son grand soulagement, ne semblait pas avoir d'épée à portée de main...

— J'ai besoin de connaître vos intentions, jeune homme, déclara le souverain d'une voix claire et forte.

— Je les ignore moi-même, répondit Shane sans détour. Je ne savais même pas ce que j'espérais en venant ici.

— Vous ne seriez pas le premier roturier qui essaie de favoriser son ascension sociale en épousant une femme de sang royal.

— Pardon ? Vous vous imaginez que j'ai fait ça exprès ?

Il inspira profondément pour dominer sa colère et ajouta :

— De toute façon, c'est mal connaître Celia. C'est une vraie tête de mule. Elle ne voudra sûrement pas m'épouser.

Shane n'arrivait pas à croire qu'il était là, en train de parler mariage avec le roi du Korosol !

— Je suis sûr que ma petite-fille n'aurait jamais couché avec vous si elle n'avait pas été intéressée par le mariage.

— Nous sommes amis, répondit Shane. Ce qui s'est passé était complètement imprévu, et nous pensions en rester là.

— Mais j'aimerais connaître vos sentiments vis-à-vis de ma petite-fille. Est-ce que vous l'aimez ?

Shane ne pouvait répondre à la question parce qu'il n'avait aucune idée de ce qu'était l'amour. Ce sentiment était mort en lui au décès de sa mère.

— Je ne veux que son bonheur.

— Son bonheur sera d'éviter le scandale en se mariant avant la naissance de l'enfant.

En se mariant ? songea Shane. Le monarque ignorait qu'il était parfaitement incapable d'apporter le bonheur à quiconque. Surtout pas à Celia qui, malgré sa réputation de barracuda, était extrêmement sensible. Il était trop égoïste, trop préoccupé par son succès pour cela. Il se voyait mal jouer les bons pères de famille et faire sauter un enfant sur ses genoux tout en racontant sa journée de travail à sa femme.

— Il y a déjà un scandale, fit-il valoir. Il est trop tard pour l'éviter.

— Pas si vous annoncez que vous étiez secrètement fiancés. Vous pouvez vous marier avant la naissance, et c'est tout ce qui comptera.

— Pas pour tout le monde.

— Nous sommes au vingt et unième siècle. Les femmes qui se marient enceintes sont chose commune, même dans les familles royales. Mais un enfant né hors mariage serait mal vu par mon peuple.

Shane n'en croyait pas ses yeux. Un monarque essayait de le marier, lui, l'ex-gamin des rues de Los Angeles, avec une princesse ! Quel genre de mariage pourrait-il lui offrir ? Comment réagirait-il en regardant dans les yeux d'un enfant, alors qu'il avait toujours refusé de songer à sa propre jeunesse, à la peine qui y était associée ? C'était l'une des raisons pour lesquelles il travaillait si dur : pour oublier.

Il ne voulait pas revivre son enfance, et il soupçonnait que c'était ce qui arriverait s'il épousait Celia.

— Votre Majesté, je crois que vous vous trompez sur les intentions de votre petite-fille.

— Vous pensez qu'elle veut scandaliser la haute société ?

Scandaliser la haute société ? Il y avait donc encore des gens qui pensaient en ces termes ? Apparemment, oui…

— Ce que je veux dire, c'est que je ne vois pas pourquoi elle se contenterait d'un mariage de raison.

— Je vais vous dire pourquoi. Pour pouvoir devenir reine du Korosol.

Il aurait aussi bien pu suggérer que Celia voulait aller planter des choux sur la lune.

— Je vous demande pardon ?

— C'est un secret d'Etat, que je ne vous révèle que du fait des circonstances. Ai-je votre parole que vous n'en soufflerez mot à quiconque ?

— Je vous le promets.

— J'ai décidé d'abdiquer, et d'offrir la couronne à Celia, annonça le roi.

Shane en eut le souffle coupé. Celia, reine ? Il devait avoir mal entendu.

— Et… elle est d'accord ?

— Evidemment. C'est un grand honneur et elle a toutes les qualifications requises. Mais elle ne pourra assumer le trône dans cette situation. Cela ferait très mauvais effet et pourrait aller jusqu'à avoir des répercussions économiques.

— Je n'en doute pas.

— Alors ? Allez-vous agir en homme d'honneur ?

Shane se représenta Celia assise à la table du petit déjeuner, les yeux pleins de larmes, les épaules voûtées. Il ne voulait pas la voir souffrir.

Pourquoi ne pas l'épouser si cela la sauvait de la disgrâce ? Cela ne signifiait pas pour autant qu'ils devraient être un couple traditionnel. Il supposait qu'ils n'auraient pas obligation de vivre ensemble. Mais il espérait avoir droit de nouveau à ce qu'il avait goûté chez lui deux mois plus tôt...

— Devrais-je vivre au Korosol ? demanda-t-il.

— C'est à vous et à la princesse de le décider. Mais avec une entreprise basée en Amérique, les gens comprendraient que vous ne puissiez vivre là-bas. Vous serez cependant obligé d'assister aux grandes cérémonies royales.

— Ce serait donc vraiment un mariage de raison...

— Un fait que vous garderez pour vous. Le monde n'a nul besoin de le savoir.

Shane n'avait jamais pensé se marier un jour, surtout avec son mode de vie. Mais puisque ce n'était pas un vrai mariage, il ne ferait aucun sacrifice. Quant à l'enfant, il le verrait de temps en temps, mais pas assez pour se mettre en danger. Shane en était désolé, mais il connaissait ses propres limites. De plus, l'enfant bénéficierait de la présence paternelle du roi Easton.

— Je serai heureux d'épouser Celia, si elle accepte, déclara-t-il.

— Parfait. Vous n'aurez donc pas à affronter un peloton d'exécution du Korosol.

Shane ouvrit de grands yeux, et le roi se mit à rire.

— Je plaisante. Je ne vous insulterai pas en vous demandant si vous attendez une contrepartie financière...

— Je ne voudrais pas qu'on s'imagine que j'épouse Celia pour de l'argent. Je l'aime beaucoup, et je veux faire ce qui est bien pour elle.

— Parfait.

Le roi eut un sourire bourru qui n'était pas sans rappeler à Shane les manières de son mentor.

— Nous rentrons ? suggéra le monarque.

— Nous rentrons, confirma Shane en lui ouvrant la porte.

# 6.

Dès l'instant où les deux hommes eurent quitté la cuisine, Celia se raidit en attendant l'orage. Qui ne fut pas long à arriver…

— Mais qu'est-ce qui t'a pris ? explosa sa mère.

— Tu veux dire de coucher avec Shane ? rétorqua Celia d'un ton de défi. Il était tard et nous nous sommes laissé emporter par un moment de folie. Tu n'as jamais regardé un autre homme depuis la mort de papa ?

— Jamais ! Ou peut-être que je l'ai fait, mais ça s'est arrêté là ! Et de toute façon, cette histoire n'a rien à voir avec moi.

— La meilleure défense, c'est l'attaque, fit Lucia. Ma sœur connaît les lois de la guerre.

— Celia ne peut pas réécrire l'histoire. Ce qui est fait est fait. Inutile de lui en vouloir, intervint Amelia.

Mais Charlotte ne l'entendait apparemment pas de cette oreille.

— Tu n'as jamais entendu parler de contraception ? demanda-t-elle à sa fille.

— Si. Hester m'a dit ce que j'avais besoin de savoir quand j'avais treize ans. Elle m'a dissuadé d'avoir des rapports sexuels, bien sûr.

— Treize ans ? répéta Charlotte d'une voix étranglée. J'ignorais qu'elle vous avait parlé de ça si tôt !

— Nous avions déjà tout appris à l'école, lui dit Lucia en levant les yeux au ciel. Vis avec ton temps, maman !

— Je ne vois pas ce que le fait de vivre avec son temps a apporté à ta sœur, riposta l'intéressée.

— Ce ne sera pas la première fois qu'on verra une mère célibataire, murmura Amelia.

— Dans ce cas, c'est plus grave ! Votre grand-père l'a choisie pour être reine ! Que va faire Shane ?

— Je ne sais pas, répondit sincèrement Celia. Il m'a dit lui-même qu'il n'était pas intéressé par les enfants.

— Eh bien, il a intérêt à changer d'avis, ou je vais lui mener la vie dure !

— Maman, c'est également *ma* vie, et je n'ai aucune envie d'épouser un homme qui ne m'aime pas.

— Tu le feras quand même.

Celia croisa les bras et redressa le menton avec détermination.

— N'y compte pas. De toute façon, il ne me le proposera pas.

La porte de la terrasse s'ouvrit à cet instant pour laisser passage au roi et à Shane. Une bouffée d'air froid s'engouffra dans la pièce. Quincy apparut pour prendre leurs manteaux, et Celia rougit en songeant que la plupart des domestiques avaient dû entendre leur conversation. Puis elle se rappela que tout New York était de toute façon au courant, du fait des indiscrétions de Krissy Katwell ; elle s'empourpra plus vivement encore.

Le roi Easton souriait. Shane adressa à Celia un signe de tête rassurant, qui n'eut pas sur elle l'effet escompté.

— Je suis heureux de constater que tu as choisi un jeune homme bien sous tous rapports, déclara son grand-père en se frottant les mains pour se réchauffer.

À ceci près qu'elle ne l'avait pas choisi. Ses hormones l'avaient fait à sa place… Elle se garda cependant bien de le préciser.

— Lady Charlotte, reprit le monarque, voulez-vous bien dire à votre attaché de presse de publier un communiqué pour annoncer les fiançailles de M. Shane O'Connell avec ma petite-fille ?

Celia ouvrit la bouche comme une carpe sortie de l'eau, et eut tout juste la présence d'esprit de la refermer.

— Nous laisserons entendre que les fiançailles datent déjà de plusieurs mois et que nous ne rompons le secret que parce que des informations ont filtré dans la presse.

— Je le savais ! fit Charlotte avec ravissement. Je savais qu'ils allaient se marier !

S'imaginait-elle qu'elle allait accepter un mariage arrangé ? se demanda Celia, encore sous le choc. D'accord, elle avait commis une erreur, mais l'époque n'était plus aux mariages forcés !

— Grand-père…

Mais le souverain l'interrompit.

— Le mariage aura lieu immédiatement.

— Comment ça, immédiatement ? fit Charlotte, l'air soudain inquiet.

— Sous quelques jours.

— Je suis désolée, Votre Majesté, mais nous n'allons pas organiser un mariage précipité chez le premier juge venu ! J'ai rêvé toute ma vie du mariage de mes filles. La future reine du Korosol, de plus, se doit d'avoir un mariage extraordinaire.

— La future reine du Korosol ne va pas…, commença Celia, avant d'être de nouveau interrompue par le roi.

— Vous avez raison, ma chère. Nous ne voulons pas donner l'impression qu'il s'agit d'un mariage précipité. Nous annoncerons le mariage pour dans deux semaines.

— Deux semaines ? s'exclama lady Charlotte. Mais nous ne pourrons pas envoyer les invitations à temps !

— Ma secrétaire vous aidera. Elle est merveilleusement efficace.

— Nous mettrons toutes la main à la pâte, intervint Amelia. Maman, entre ton attachée de presse et ta secrétaire, nous y arriverons.

— Ecoutez…, bafouilla Celia, de plus en plus abasourdie.

— J'appellerai ma créatrice de mode favorite, renchérit sa mère. Elle ouvrira son salon rien que pour nous. Elle a des robes de mariée fabuleuses dans sa dernière collection. Dieu merci, la grossesse ne se voit pas encore ! Et nous aurons également besoin de deux robes pour les demoiselles d'honneur.

— Allô ! cria soudain Celia. Est-ce que quelqu'un m'entend ? Je n'ai jamais dit oui ! Personne n'a remarqué ?

— Si, moi, répondit Shane.

— Vous devez en parler, tous les deux, déclara le monarque. C'est une importante décision.

— Il n'y a rien à décider ! Ma fille fera ce que je lui dirai de faire.

Le visage de Charlotte avait pris cette expression résolue que Celia avait appris à redouter. Mais cette fois, c'était différent. Elle ne se laisserait pas dicter un si important choix de vie.

— Cette décision n'appartient qu'à moi, répondit-elle fermement.

— Pas si tu veux devenir reine du Korosol.

La menace flotta en silence dans l'air, implicite. « Le roi va choisir l'une de tes sœurs… »

Deux jours plus tôt, même lorsque son grand-père avait annoncé ses intentions, Celia ne s'était pas réellement imaginé devenir reine. Pourtant, au cours des dernières quarante-huit heures, l'idée avait fait son chemin en elle. Si elle se voyait mal abandonner l'entreprise familiale après y avoir consacré tant d'efforts, elle se voyait plus difficilement encore décevoir son grand-père.

Pour autant, comment pouvait-elle accepter d'épouser Shane ? Cela revenait à se faire forcer la main par le premier journaliste venu. Et même si Easton avait pu convaincre Shane de l'épouser, cela ne signifiait pas que ce dernier l'aimait.

Ni qu'elle l'aimait. D'ailleurs, elle n'avait aucune idée de ce qu'elle ressentait pour lui.

— Il est temps que Celia et moi ayons une petite discussion, déclara Shane.

— Mais c'est une affaire d'Etat, protesta Charlotte. Nous sommes tous concernés !

Le roi lui adressa un geste d'apaisement.

— Ma chère, sachez que nous sommes tous des êtres humains, et non des symboles. A ce titre, la princesse ne saurait accepter une décision prise en son nom par quelqu'un d'autre. De plus, le peuple ne voudra pas d'un couple instable, et moins encore d'un divorce. Une fois le nœud noué, il devra le rester.

Shane pâlit légèrement. Ou peut-être Celia se l'était-elle imaginé, car ce fut d'une voix ferme qu'il demanda :

— Y a-t-il un endroit où nous pourrions parler tranquillement sans pour autant mourir de froid ?


Shane n'avait jamais vu un appartement aussi spacieux que celui-ci. Celia et lui émergèrent sur la mezzanine qui courait le long du second étage. Sur sa droite, une rambarde donnait sur le salon en contrebas. De l'autre côté, il aperçut un bureau.

— La suite des invités, expliqua la jeune femme. C'était le bureau de mon père, autrefois. C'est son portrait, là.

Shane jeta un œil à l'intérieur. Le portrait représentait un homme qui avait les mêmes yeux que Celia. Il paraissait étonnamment jeune. Puis Shane se rappela qu'il était mort à trente ans.

— Par ici.

Elle le conduisit le long d'un couloir sur lequel ouvrait un grand nombre de portes. Par l'une d'elle, il aperçut une salle de projection digne d'un cinéma. Celia ouvrit la dernière du couloir

74

et le fit entrer dans ce qui évoquait un plus petit appartement à l'intérieur du grand. Cuisine américaine, salon, chambre et salle de bains, rien ne manquait. L'endroit était confortable, élégamment décoré et bien plus intime que l'immense appartement. Des coussins colorés, jetés çà et là, égayaient la pièce. Une double-porte conduisait à un vaste balcon privatif.

— C'est charmant, commenta-t-il.

— Tu veux un café ? Je n'ai plus qu'à le réchauffer.

— Non, merci.

Comme il s'installait dans un fauteuil, il remarqua la photographie d'un bateau aux voiles colorées.

— J'aime beaucoup ton goût en matière de décoration.

— C'est le seul endroit où je peux être moi-même.

Celia se hissa sur un tabouret, contre le comptoir de la cuisine, et croisa ses longues jambes. Elle avait décidément une silhouette de rêve. Souple, nerveuse et gracile, elle évoquait un pur-sang… Shane se remémora ces mêmes jambes enroulées autour de ses hanches. Lorsque Celia faisait l'amour, c'était avec tout son corps. Et quel corps…

Il dut lutter contre l'instinct qui lui soufflait de se lever et d'aller lui ôter son haut, de glisser une main sous sa jupe… A cette seule idée, il sentit tous ses muscles se crisper.

— Mes parents habitaient cette suite quand j'étais petite, expliqua Celia. A la mort de mon père, ma mère a emménagé en bas. Et quand je suis entrée à l'université, j'ai pris possession des lieux sans rien demander à personne. Ma mère n'a pas protesté, et je suis restée.

— Et maintenant, tu t'apprêtes à partir pour le Korosol.

— N'est-ce pas incroyable ? Mon grand-père a lâché cette bombe il y a deux jours.

— Personne ne soupçonnait rien ?

— Bien sûr que non ! Tu m'imagines avec une tiare ?

— Tu pourrais en porter une à notre mariage.

— Justement, à propos de ce mariage… Tu n'es pas sérieux, n'est-ce pas ?

— Je ne voudrais pas être un obstacle à ton accession au trône.

— C'est comme ça que tu le vois ? Comme un sacrifice à faire pour que je devienne reine ? Que t'a dit mon grand-père exactement ?

— Ton grand-père n'a pas eu à me forcer la main, répondit Shane, choisissant ses mots pour ne pas laisser croire à Celia qu'il s'agissait d'un acte de charité. J'ai beau avoir eu une enfance difficile, j'ai ma fierté. Un homme n'abandonne pas son enfant.

— Tu n'as pas à t'inquiéter. Cet enfant aura tout ce dont il peut rêver, fit Celia en pivotant sur son tabouret.

— Tu parles d'argent ? Tu en as toujours eu toi-même. Est-ce que ça signifie que tu as eu tout ce que tu voulais ?

— Tout sauf un père, concéda-t-elle.

— Et voilà.

— Tu peux être père sans être mon mari.

Décidément, Celia était bien trop maligne…

— D'accord, je le reconnais, je ne pensais pas qu'au bébé.

— Ah, nous y venons, fit Celia, descendant de son tabouret pour remettre de l'ordre dans une pile de magazines. Il a fait appel à ton sens chevaleresque, c'est ça ? Il t'a convaincu de sauver la pauvre princesse Celia des méchants paparazzi ?

— Non, je le fais pour toi.

Bon sang, quelle platitude… Il secoua la tête, irrité.

— Oublie ça. Si je veux t'épouser, c'est qu'il y a quelque chose entre nous. Je commence à réaliser que nous nous ressemblons.

— D'une certaine façon, c'est vrai. Raison de plus pour garder nos distances.

Shane se sentait à court d'arguments pour la convaincre.

— Je ne veux épouser personne d'autre, finit-il par dire.

76

— Je gagne par défaut, alors ? demanda la jeune femme avec un sourire crispé.

— Aucun de nous n'est du genre romantique. Ce mariage est parfaitement censé, et c'est une raison suffisante.

L'espace d'un instant, il eut l'impression que Celia n'aurait pas dit non au grand jeu, avec champagne, roses et proposition à genoux. Puis elle redressa le menton.

— Pourquoi est-ce parfaitement censé ? Explique-le-moi.

— Eh bien, nous savons que nous sommes physiquement compatibles. Nous nous entendons bien. Et tu es enceinte. Beaucoup de gens se marient pour de moins bonnes raisons. Nous gagnons sur tous les plans : tu deviens reine et notre enfant a deux parents, même s'il me verra moins que toi. Pour ma part, je gagne une épouse que j'admire et que je trouve incroyablement séduisante.

— Mais pas assez séduisante pour te retenir au Korosol.

— Rappelle-toi que je suis comme toi : autoritaire, avec un besoin compulsif de tout contrôler. Je suis sûr que tu ne voudrais pas m'avoir dans les pattes.

— Non, je ne pensais pas à ça… Vois-tu, l'image que j'ai du mariage est celle que m'ont toujours offerte mes parents. Ils étaient profondément amoureux. Ma mère était tout excitée quand mon père rentrait du travail. Evidemment, je suppose que j'ai une vision un peu infantile de la chose…

— Ce qui est sûr, c'est que tu ne pourras pas être reine et avoir le même genre de mariage que ta mère. D'après ce que j'ai entendu dire, elle n'a eu que très peu de responsabilités jusqu'à la mort de ton père. Ce n'est qu'après ce drame qu'elle s'est investie dans DeLacey. Personne ne croyait qu'elle y arriverait, d'ailleurs.

— Je ne suis pas très sûre d'y arriver moi-même, murmura Celia. Tu m'imagines en reine ? Et si je trébuche sur le tapis durant une audience royale ?

— Je suis sûr que tu y parviendras très bien, fit Shane en souriant.

— Tu sais, t'épouser n'est peut-être pas une si mauvaise idée, après tout.

— Qu'est-ce qui t'a fait changer d'avis ?

— Le fait que tu n'as pas d'illusions sur mon compte. Si j'épousais un prince européen, il s'attendrait sans doute à un parangon de vertu. En découvrant ma vraie personnalité, il serait sans doute déçu.

— Aucun homme sain d'esprit ne sera jamais déçu de te connaître.

— C'est gentil.

Celia pianota pensivement sur le comptoir, du bout des doigts, puis déclara :

— Mettons les choses au clair. Lorsque tu dis que nous sommes physiquement compatibles, tu veux dire que notre mariage supposerait… enfin, qu'il ne serait pas platonique ?

Etait-ce une plaisanterie ? Shane aurait voulu oublier le platonique ici et maintenant, et la posséder dans la chambre d'à-côté s'il l'avait pu. Mais il se força à arborer une mine composée.

— Si nous nous marions, autant en profiter au maximum.

— Je vois, fit-elle avec un léger sourire.

— Allons, oseras-tu nier que nous avons pris du bon temps ?

— Je refuse de faire l'honneur d'une réponse à ton sous-entendu, répondit Celia d'un air faussement offusqué. Mais il est vrai que quitte à se marier, autant faire les choses à fond.

— Notre mariage nous autorisera donc à faire crac-boum, comme on le disait du temps de mes grands-parents. Tope-là.

Cette fois, Celia ne protesta pas. Pour autant, la décision n'était pas facile à prendre.

— J'ai besoin de réfléchir. Est-ce que tu peux me laisser seule quelques minutes ?

— Aucun problème, dit Shane en se levant. Je t'attendrai.

Il brûlait d'envie de la prendre dans ses bras, de l'attirer à lui et d'apaiser la lueur inquiète qui brûlait dans ses yeux verts. Mais il savait que cela ne ferait que la mettre mal à l'aise.

Il sortit donc de la pièce, laissant la princesse réfléchir à sa décision.

Shane lui manqua sitôt qu'il eut quitté la pièce. Mais Celia était tout de même soulagée de se retrouver seule. Elle n'avait pas eu un moment à elle depuis qu'elle avait lu l'article de Krissy Katwell.

Elle se dirigea vers la double porte donnant sur le balcon et baissa les yeux vers la 77e rue. Le bruit de la ville en montait, et elle songea aux bruits qu'elle avait entendus, petite, résonner dans le palais royal du Korosol. Certainement pas celui de la circulation...

Son instinct de survie lui commandait de repousser Shane, de garder ses distances. Cependant une autre partie d'elle-même lui soufflait d'oublier toutes ses peurs et de se jeter dans ses bras.

Mais que voulait Shane lui-même ? Elle n'en savait rien et, malgré leur discussion, n'aurait su dire ce qu'il avait en tête. De toute façon, elle ne voulait pas se donner à un homme comme sa mère l'avait fait. Car lorsque cet homme disparaissait, il ne restait plus que souffrance et amertume. Pourquoi avait-elle dit qu'elle aspirait à un mariage pareil à celui de ses parents ? C'était faux, archi-faux.

Son grand-père et Shane, en tout cas, avaient raison. Un mariage de pure forme arrangerait les affaires de tout le monde, arrondirait les angles et couperait l'herbe sous le pied des médisants.

Machinalement, Celia passa dans sa chambre et, sur une étagère chargée de vieilles peluches, prit une chouette usée. Elle se rappelait encore le jour où son père la lui avait rapportée d'un voyage à Montréal. Ses deux sœurs s'étaient jetées sur les autres peluches, un caribou et un lapin blanc.

Drake s'était alors agenouillé près d'elle et lui avait mis la chouette dans les mains.

— Dès que je l'ai vue, elle m'a fait penser à toi, avait-il dit. Quand je ne suis pas là, j'ai le sentiment que tu surveilles tout à ma place.

— Il faut bien, se rappelait-elle avoir répondu.

— C'est toi la plus forte, la plus solide. Je sais que je peux compter sur toi.

« Je sais que je peux compter sur toi… » Ces mots n'avaient cessé de résonner en elle au fil des années, la guidant dans ses choix. Tout comme ils la guidaient à présent.

Le Korosol, la patrie de son père, avait besoin d'elle. Et tant pis si Shane ne l'aimait pas. Elle avait un pays un gérer.

Apaisée, elle reposa la chouette sur l'étagère et partit annoncer sa décision.


Dévisageant Shane, le roi songea : « Il est amoureux mais il ne le sait pas encore. » L'homme d'affaires les avait rejoints, expliquant que Celia avait pris quelques instants de réflexion. Depuis, il jetait des coups d'œil aussi anxieux que fréquents à la porte.

Personne d'autre ne semblait remarquer l'inquiétude de Shane, tant l'agitation de Charlotte était visible. Cette dernière avait entrepris d'organiser le mariage et appelait un numéro après l'autre sur son téléphone portable.

— Je ne pense pas que le mariage doive avoir lieu ici, déclarat-elle brusquement. Nous ne serons pas capable d'assurer un niveau de sécurité acceptable.

— Ce sera encore pire dans un hôtel, fit valoir Amelia.

— C'est vrai. Pas un hôtel… Oh, tu te rappelles le mariage de Sandra Abernathy, l'an dernier ? Ils ont loué une belle maison de l'Upper East Side. C'était un très bel endroit, et discret avec ça.

— Bien sûr que je me souviens. Il y avait cette grande cour, et le couple est parti en calèche. C'était comme dans Cendrillon.

Charlotte prit quelques notes dans son agenda électronique.

— Je vais demander à ma secrétaire de voir si la maison est disponible. Ainsi que la calèche.

— Si tu y mets le prix, ironisa Lucia, tout est disponible.

— Qu'en pensez-vous, Shane ? demanda Amelia.

L'intéressé tressaillit légèrement, comme tiré d'un rêve.

— De quoi ? Oh, la maison… Oui, c'est une excellente idée. Il sera plus facile de tenir la presse à distance.

— Ça va être merveilleux, s'extasia Charlotte. Mais pourquoi Celia ne descend-elle pas, que nous puissions nous mettre au travail ?

La perspective de ce mariage réjouissait également Easton. Il adorait la pompe et les cérémonies, même s'il prenait grand soin de ne pas gaspiller l'argent public. Cassandra et lui s'étaient mariés au Korosol, au cours d'une cérémonie qui avait rassemblé les grands chefs d'Etat européens. Tout s'était passé comme dans un rêve, et il ne se rappelait que vaguement des détails de ces festivités. Ce dont il se souvenait parfaitement, en revanche, c'était de l'angélique beauté de sa femme, du regard rempli de bonheur qu'elle avait posé sur lui, sous le treillis de roses où ils s'étaient unis.

Ils n'avaient pas soupçonné, à l'époque, les peines qui les attendaient. Ni les joies, d'ailleurs. Ils étaient perdus dans leur amour l'un pour l'autre, un amour qui les avait soutenus durant cinquante ans de vie conjugale.

Easton retint son souffle lorsqu'une silhouette apparut dans l'encadrement de la porte. Une nouvelle fois, la ressemblance de Celia avec Cassandra le frappa.

— Désolée de vous avoir fait attendre, dit-elle à la canto-nade.

Puis elle se tourna vers Shane et annonça :

— Je serai heureuse de t'épouser.

Il se leva et alla lui étreindre les mains.

— C'est la bonne décision.

— Y… y a-t-il des papiers à remplir ? reprit la jeune femme après une hésitation.

— Un contrat de mariage ? s'exclama Charlotte. Ce n'est pas la peine.

— C'est vrai, confirma Shane. Si nous avons des problèmes, Celia, la meilleure façon de les résoudre est encore d'en parler.

— D'accord, dit-elle en se détendant visiblement. Et maintenant ?

— Il faut choisir une bague, dit Shane.

— La robe d'abord, insista Charlotte.

— Que vont porter les demoiselles d'honneur ? s'inquiéta Amelia.

— Je créerai des bijoux spécialement pour l'occasion, intervint Lucia.

Easton décrocha son téléphone et composa le numéro d'Ellie. Au cours des semaines à venir, la famille allait avoir besoin de toute l'aide disponible.


Le communiqué de presse fut publié un dimanche soir — trop tard pour que les journaux télévisés puissent en parler, selon les recommandations de l'attachée de presse de Charlotte. Mieux valait selon elle que la nouvelle paraisse d'abord dans les journaux, cela créerait moins d'agitation et leur permettrait de mieux contrôler la situation.

Comme Shane le constata en arrivant à son travail le lundi matin, la jeune femme avait cependant sous-estimé les médias. Des équipes de télévision d'une station locale, d'une chaîne câblée et d'une chaîne européenne attendaient sur le trottoir. Au milieu d'autres journalistes, il n'était pas difficile de reconnaître la silhouette de Krissy Katwell, dont les cheveux d'un noir de jais flottaient au vent.

Shane ralentit lorsqu'il vit ce qui l'attendait et, l'espace d'une seconde, envisagea de fuir. Il rejeta aussitôt cette idée. Mieux valait affronter la meute une bonne fois.

Krissy Katwell, la quarantaine bien portée, dépassa toutes ses rivales dans la ruée vers lui. Elle était de petite taille, mais sa férocité lui donnait l'avantage. Elle fut la première à lui coller un micro sous le nez.

— Shane !

Bien qu'ils ne se fussent jamais rencontrés, elle s'adressait à lui comme à une connaissance de longue date.

— Est-ce mon article qui vous a forcé la main ?

— Personne ne m'a forcé la main. Celia est moi sommes fiancés depuis plusieurs mois.

— Vraiment ? On vous a vu acheter une bague de fiançailles chez Tiffany samedi. Si vous êtes fiancés de longue date, pourquoi avoir attendu si longtemps ?

— Nous voulions garder le secret. Si Celia avait arboré une bague de fiançailles, il aurait été rapidement éventé.

— La princesse est-elle vraiment enceinte ? demanda un autre journaliste.

— Je suis heureux de vous annoncer que nous attendons notre premier enfant pour le mois de septembre.

Shane avait soigneusement répété ses déclarations, conscient du fait que ses manières brusques et caustiques habituelles seraient mal perçues.

— Que pense son grand-père, le roi, de la situation ? demanda une femme de la chaîne européenne.

C'était un point délicat. Nul ne devait apprendre la présence du roi à New York, ni le fait qu'il avait offert le trône à Celia.

— J'ai cru comprendre qu'il était enchanté, et que nous avions sa bénédiction. A présent, si vous voulez bien m'excuser, j'ai du travail.

Mais Krissy resta plantée devant lui.

— J'aimerais savoir si la princesse est tombée enceinte avant ou après vos négociations avec DeLacey ?

— Pendant, répondit Shane avec un large sourire.

Il se demandait s'il devrait bousculer Krissy Katwell pour parvenir à gagner son bureau lorsque Tawny Magruder sortit de l'immeuble. Malgré sa jupe serrée et ses hauts talons, elle fondit sur lui et sur Krissy tel un aigle. La journaliste écarquilla les yeux et s'écarta de son chemin au dernier moment.

— Vous avez un appel urgent, monsieur O'Connell.

— Merci, répondit-il, sachant pertinemment qu'il n'y avait aucun appel.

Une minute plus tard, il pénétrait avec elle dans l'ascenseur.

— Alors ? demanda Tawny. Vous vous en sortez ?

— J'en avais assez de me montrer poli. Si vous n'étiez pas arrivée, j'aurais gâché ma nouvelle image.

— Une image presque parfaite, répondit sa secrétaire, ôtant un petit morceau de papier de ses cheveux. Vous devriez vraiment vous regarder dans un miroir quand il y a autant de vent.

Shane prit mentalement note de ne pas se regarder à la télévision aux nouvelles du soir.


Yuki Yamazaki, la créatrice de mode préférée de Charlotte, avait repoussé tous ses rendez-vous du mardi afin de consacrer entièrement son show-room aux Carradine.

Eleanor Standish, qui assistait la famille sur demande expresse du roi, jeta un œil perplexe autour d'elle.

— Je ne vois pas de robes, murmura-t-elle à Celia.

— On va nous les apporter. Vous pourriez vous en choisir une, vous aussi ?

— Non, merci, murmura timidement l'intéressée. J'ai apporté une robe dans mes affaires.

Celia espérait qu'elle était plus flatteuse que les tenues que portait ordinairement Ellie. La jeune femme s'efforçait apparemment d'atténuer sa beauté naturelle par tous les moyens. Mais tant que le roi n'y voyait pas d'objection, cela ne regardait qu'elle...

On leur apporta thé et café, puis les mannequins entrèrent dans la pièce et commencèrent à défiler. Une robe en particulier retint l'attention de toutes, témoin du sens du spectacle de Yuki. La robe elle-même était une explosion de satin et de dentelle, dont le bustier semblait tenir en place par miracle.

— Comment est-ce que ça tient ? chuchota Ellie.

— Sans doute par du Velcro, hasarda Lucia.

— Avec une robe comme ça, le marié doit mourir d'envie de déshabiller sa femme, commenta Amelia, avant de rougir subitement.

— Je crois qu'il vaut mieux s'orienter vers quelque chose de plus traditionnel, dit Charlotte.

Celia hocha la tête en signe d'approbation. Quelques minutes plus tard, son cœur bondit dans sa poitrine lorsque apparut une robe à l'ancienne, à col haut et à taille Empire, aux manches resserrées aux poignets. L'emploi d'une matière diaphane, sur le buste et les manches, produisait un effet étonnamment sensuel.

— Je l'adore, murmura-t-elle.

Celia imaginait déjà le regard de Shane lorsqu'il la verrait dans cette robe...

Elle se ressaisit brusquement. Inutile de fantasmer sur un homme qui ne l'épousait que parce qu'elle était enceinte. Chez Tiffany, le week-end passé, il s'était montré courtois mais distant. Et durant le dîner de dimanche, lorsqu'il avait rejoint la famille, il avait passé la plupart du temps à parler avec un grand homme d'affaires européen. Elle avait espéré recevoir un sourire, un regard, mais il ne lui avait rien accordé de tel.

— Si tu l'aimes, nous la prenons, déclara Charlotte.

— Excellent choix, confirma Yuki. C'est également ma préférée pour la princesse. A présent, pour le voile…

— Je préférerais une tiare, déclara Celia.

Tout le monde la dévisagea avec surprise. Charlotte se ressaisit la première.

— C'est une excellente idée.

— Je ferai des esquisses, leur promit Yuki. Les robes des demoiselles d'honneur, à présent…

— Les couleurs d'une cérémonie de mariage sont le bleu et l'argent, intervint Ellie. Comme le drapeau du Korosol.

— Ne vous en faites pas. Les robes de ma collection peuvent être conçues en n'importe quelle couleur.

— Oh, fit Ellie d'une petite voix.

Comme il fallait s'y attendre, Lucia et Amelia firent des choix différents. La première opta pour une robe rayée qui soulignait sa spectaculaire silhouette, la seconde préféra une robe plus douce et plus traditionnelle. Charlotte choisit pour sa part une tunique de soie et une veste longue, couleur pêche. Puis toutes se livrèrent à une orgie d'achats : chapeaux, sacs, gants, et autres accessoires.

La seule chose qui manquait au tableau, songea Celia, était le prince dont elle avait toujours rêvé. Le prince qui la ferait fondre dès qu'elle serait près de lui. Le prince qui jurerait à genoux de l'aimer à jamais.


Le vendredi après-midi, Celia parvint à fausser compagnie aux gardes et à sa mère. Il était peut-être stupide de se promener seule dans New York alors qu'elle était l'objet d'une telle attention médiatique, mais elle était capable de faire un malheur si elle ne se retrouvait un peu seule.

Après avoir passé la matinée au bureau, elle prit donc un taxi qui l'amena dans le centre. En chemin, elle enfila des lunettes de soleil qui lui donnaient l'air d'une chouette et noua un foulard sur ses cheveux. Elle était excitée de se déplacer ainsi, incognito. Elle avait l'impression d'être Audrey Hepburn dans *Vacances romaines*.

Elle demanda au taxi de la déposer n'importe où sur Madison Avenue. Tout ce qu'elle voulait, c'était pouvoir faire du lèche-vitrine comme tout le monde, et écouter ce qui se disait dans la rue.

Ce ne fut qu'en descendant du taxi qu'elle se rendit compte qu'elle n'était pas loin du bureau de Shane. Avait-elle inconsciemment choisi cet endroit ou n'était-ce qu'une coïncidence ? Peu importait. Les probabilités de le rencontrer étaient faibles.

Sa tension la quitta comme elle passait d'un magasin à l'autre, pareille aux autres quidams. Personne ne la reconnut, même si quelques passants la dévisagèrent curieusement, peut-être à cause de ses grosses lunettes noires.

Elle émergeait d'une boutique d'antiquités lorsqu'un homme retint son attention. Elle ne le voyait que de dos, mais il ressemblait fort à Shane. Même carrure, même assurance dans la démarche. Un frisson d'excitation la parcourut, une bouffée de désir pour son futur mari la saisit et la dérouta.

Elle lui emboîta le pas, troublée. L'homme se dirigea vers une boutique de sandwichs, ouvrit la porte et s'effaça pour laisser passer un client qui sortait. Alors elle vit son visage. C'était Shane.

Comme s'il avait senti son regard sur elle, il pivota lentement et fronça les sourcils en l'apercevant.

— Ainsi donc, ce n'était pas un effet de mon imagination. J'avais l'impression d'être suivi…

— Prise sur le fait, dit Celia en riant. Je me suis échappée du bureau.

— Tu viens déjeuner ? C'est moi qui invite.

— Je ne sais pas, minauda-t-elle. Est-ce que ça risque de compromettre ma vertu ?

— Un sandwich au pastrami ? Je ne crois pas.

Par chance, ils trouvèrent une banquette à l'abri des regards indiscrets. Shane alla prendre leurs sandwiches au comptoir et les amena à la table.

— Ça sent merveilleusement bon, dit Celia en ôtant ses lunettes. J'en ai assez de la cuisine fine. On ne mange que ça depuis que mon grand-père est là.

— Je suis ravi de déjeuner avec toi. J'en avais envie, en fait.

— Tu n'avais qu'à appeler.

— Je me suis dit que tu devais être très occupée.

— C'est vrai…

Celia se surprit à vouloir lui raconter le moindre détail de sa semaine. Le plaisir de choisir sa robe chez Yuki Yamazaki. Le rendez-vous chez le fleuriste, avec le superviseur des musiques…

— Oh ! s'exclama-t-elle. Je voulais te demander : quel genre de musique veux-tu pour le mariage ?

— De musique ? Eh bien… quelque chose avec un air, je suppose.

Celia le fixa avec amusement.

— Par opposition à quoi ? Des types qui tapent sur des tambours ? Je parlais de chansons en particulier.

— Je ne me souviens jamais des titres. Choisis ce que tu veux.

— D'accord. J'ai également pensé que nous pourrions faire un petit cadeau à chaque invité, leur offrir un souvenir. Tu as une idée ?

— Des ballons de baudruches ? J'avais un faible pour eux quand j'étais petit. Bon, inutile de répondre…

— Je pensais à des petits kaléidoscopes avec notre nom et la date du mariage gravés dessus.

— Moi aussi j'en aurai un ? demanda-t-il avec un sourire juvénile.

— Bien sûr !

— De toute façon, j'ai le plus beau des cadeaux de la soirée, dit Shane en se penchant pour lui prendre la main. Toi.

De petits picotements remontèrent le long du bras de Celia. Les paroles de Shane lui réchauffèrent le cœur, même si elle savait qu'il n'avait pas l'intention d'être un mari à plein temps.

— Comment te sens-tu ? demanda-t-il. La grossesse doit être un changement important.

— Je n'y ai pas vraiment pensé, confessa-t-elle. Je n'ai pas une minute à moi.

Son téléphone portable sonna à cet instant, et Celia dégagea à contrecœur sa main de la sienne pour répondre. C'était Charlotte, qui avait manqué avoir une attaque cardiaque en s'apercevant de la disparition de sa fille. Sans enthousiasme, Celia accepta de rentrer. Inutile de provoquer sa mère. De toute façon, Shane devait lui aussi retourner à son bureau.

Elle savait qu'ils se verraient ce week-end, mais ce serait toujours en présence de nombreuses autres personnes, songea-t-elle comme ils sortaient du restaurant. Elle était heureuse, finalement, d'avoir pu voler ces quelques moments d'intimité.

Ils s'apprêtèrent à s'embrasser pour se dire au revoir, mais plusieurs têtes se tournèrent pour les dévisager.

— Inutile de nous offrir en spectacle, murmura Shane. Je me rattraperai plus tard.

— J'y veillerai, riposta Celia.


Shane devait bien l'admettre : la publicité, même si elle l'irritait, avait du bon pour les affaires. Wuhan Novelty rêvait de signer au plus vite avec les deux chouchous de la scène mondaine new-yorkaise. Et les téléphones n'arrêtaient pas de sonner.

— Vous devriez vous marier plus souvent, lui dit Tawny le lundi suivant.

— Encore une semaine, et tout sera réglé, fit Shane en étouffant un bâillement.

Il avait dû tailler dans ses nuits déjà courtes pour répondre présent à toutes les soirées organisées par Charlotte. Cette dernière ne voulait oublier aucun de ses amis, et Shane avait rencontré en moins de soixante-douze heures un maire, plusieurs sénateurs, des chefs d'entreprises et quelques stars de Broadway.

Et dans quelques heures à peine, il avait rendez-vous à l'ambassade du Korosol, pour rencontrer des dirigeants locaux de la communauté expatriée. Ce serait également la première sortie officielle de Celia.

Il espérait cependant que le couronnement n'aurait pas lieu trop tôt. Il voulait en effet profiter un peu de sa femme avant que les devoirs de sa charge ne l'accaparent totalement.

— Un appel pour vous sur la ligne trois, revint lui annoncer Tawny. Elle dit que c'est personnel.

— Merci.

Il ferma la porte de son bureau, puis décrocha. Il espérait que c'était Celia, et qu'elle lui proposerait d'aller déjeuner. Ou, plus intéressant encore, de se retrouver dans une chambre d'hôtel...

— O'Connell, dit-il en décrochant.

— Shane ! Je voulais t'appeler plus tôt pour te féliciter mais j'étais sur un cas à San Francisco.

Il reconnut aussitôt Janet, l'avocate divorcée qui l'avait invité à dîner quelques semaines plus tôt.

— Je pensais qu'un homme sur le point de se marier avait le droit de fêter ça. Et quand je dis fêter...

Elle ne termina pas sa phrase, mais il était impossible d'ignorer la nuance sexy dans sa voix.

— Janet, je suis sur le point de me marier. Ça veut dire que je ne suis plus disponible.

— Ça veut dire que tu es plus attirant que jamais. J'aimerais goûter à ce que la princesse va avoir. Tu ne peux pas m'en vouloir, non ?

— Je suis très flatté. Mais sans vouloir t'offenser…

— Oh, ne t'en fais pas pour moi. Mon divorce me fait faire un peu n'importe quoi, c'est tout. Ceci dit, au cas où tu changerais d'avis, n'hésite pas à m'appeler…

Et elle raccrocha. Etrange conversation, songea Shane. Encore que pas complètement inattendue. Amy, l'autre divorcée qu'il avait rencontrée, l'avait appelé quelques jours plus tôt pour une proposition similaire, encore que plus subtile. Il espérait d'ailleurs que cela n'arriverait pas aux oreilles de Krissy Katwell…

Car Celia et lui avaient beau faire un mariage arrangé, il n'entendait pas moins lui être fidèle. Il avait bien trop de respect pour sa future femme pour qu'il en soit autrement.

Il travailla toute la matinée, mangea un sandwich à son bureau et ne leva le nez de ses papiers que pour constater que la nuit commençait à tomber. Pris par son travail, il n'avait pas vu l'heure tourner. Cela signifiait qu'il n'aurait pas le temps de rentrer se changer. Heureusement, il portait déjà un costume sombre.

Il passa dans sa salle de bains privée et, lorsqu'il en émergea après une bonne douche, trouva son personnel réduit à l'équipe de nuit. Shane les salua et partit en hâte.

Une mère et son bébé se trouvaient déjà dans l'ascenseur lorsque ce dernier arriva, et Shane aurait volontiers pris le prochain s'il avait eu plus de temps. En l'occurrence, il entra aussitôt dans la cabine, espérant que l'enfant n'allait pas se mettre à brailler. Ni la mère à l'assommer de ces petits mots ridicules que les parents qu'il connaissait employaient avec leurs bébés.

Dieu merci, elle resta silencieuse. Après des heures passées au téléphone, Shane n'aspirait qu'au silence. Le bébé gazouilla un peu, mais ce fut tout.

Presque tout. Car entre le dixième et le neuvième, l'ascenseur s'arrêta brusquement.

— Génial, marmonna-t-il en appuyant sur tous les boutons, sans le moindre résultat.

— Mon mari m'a dit qu'un des ascenseurs était resté coincé ce matin mais il ne savait pas lequel, fit la femme.

— Il est resté bloqué longtemps ? s'enquit Shane en jetant un regard impatient à sa montre.

— Je ne sais pas.

Sa compagne d'infortune avait un visage rond et aimable. Elle lui adressa un sourire un peu crispé.

— Heureusement que vous êtes là. J'ai tendance à devenir claustrophobe dans les espaces clos.

— Moi, je deviens juste impatient.

Il appuya de nouveau sur les boutons, n'importe lesquels, sans plus de succès.

— J'apportais son dîner à mon mari.

Apparemment, le fait de parler aidait la femme à rester calme…

— Il est comptable, reprit-elle. Vous savez comme ils travaillent en cette saison avec la clôture des bilans…

— Bien sûr.

Le bébé s'agita un peu, et Shane demanda :

— Il va bien ?

— Bien sûr, répondit la mère en prenant l'enfant dans ses bras. Pas vrai, Anthony ?

Le bébé lui sourit, et elle ajouta :

— Il a neuf mois.

— Il parle ?

La jeune femme se mit à rire.

— Vous plaisantez ? Il faudrait que ce soit un génie.

— A quel âge parle-t-on ?

92

— C'est variable. Certains disent leurs premiers mots à un an.

— Ga-ga, dit gravement le bambin, comme pour participer à la conversation.

— Il met beaucoup d'intention derrière ça, s'étonna Shane, dérouté par la petite frimousse froncée.

— Oh, c'est un sacré personnage. Il ouvre tout grand les bras et pousse un cri façon tarzan quand il voit son papa. Il préfère le jus de pomme au jus d'orange et déteste les blettes.

— Les blettes ? Beurk.

— Beuh ! s'exclama l'enfant.

— C'est mon imagination ou il m'imite ?

La femme sourit.

— Bien sûr qu'il vous imite. Vous devriez le voir essayer d'aboyer comme notre chien.

— Vraiment ?

Shane s'apprêtait à demander si l'enfant pouvait marcher lorsque l'ascenseur repartit dans une secousse.

— Hourra ! s'exclama la mère.

— Uh-ah ! renchérit l'enfant.

Un coup d'œil à sa montre apprit à Shane qu'il avait perdu une bonne dizaine de minutes. Non, pas vraiment perdu, songea-t-il en débouchant enfin dans le hall. Il avait appris des choses fascinantes.

Mais il allait être terriblement en retard à l'ambassade.

# 7.

Celia avait l'impression, toutes les fois qu'elle se rendait à l'ambassade, de se rapprocher de son père. La façade ornée du vieil immeuble, haut de huit étages, lui rappelait en effet le pays de Drake.

Ce dernier aurait été fier d'elle. Comme elle aurait voulu qu'il soit là pour assister au mariage ! Au moins avait-elle l'impression, à l'ambassade, qu'il veillait sur elle.

Ils étaient supposés retrouver Shane devant le bâtiment mais, ce dernier ne se montrant pas, le roi ordonna à la petite troupe de rentrer.

— Nous ne pouvons pas faire attendre notre peuple.

Charlotte, Celia et Amelia s'exécutèrent. Seule Lucia avait échappé à la soirée, arguant d'une tonne de travail à rattraper.

L'intérieur était tout aussi élégant que l'extérieur, et soigneusement entretenu. Un ascenseur les déposa au troisième étage, et ils se dirigèrent aussitôt vers les luxueux salons réservés aux réceptions. Ils furent accueillis par la douce mélodie d'une chanson traditionnelle, jouée par un orchestre à cordes. Celia entendit un brouhaha de voix et le son cristallin de verres entrechoqués.

Le bruit s'arrêta sitôt qu'ils parurent sur le seuil. Tous les Korosoliens présents, y compris les serveurs, s'inclinèrent devant le roi. Certains d'entre eux, nota Celia, portaient des costumes traditionnels.

Même si elle était habituée à être le centre de l'attention générale, personne ne s'était jamais agenouillé devant elle. Elle se rendit brusquement compte que c'était devant elle que tous ces gens s'inclineraient un jour.

L'ambassadeur Cadence St John, un homme aux cheveux noirs qui évoquait plus un militaire qu'un diplomate, s'approcha pour saluer son souverain. Puis, au grand embarras de Celia, elle fut prise par la main et présentée à la foule comme la petite-fille aînée du roi, sur le point de se marier.

De nouvelles révérences. Des sourires de bienvenue, et une franche curiosité dans les regards… Et ce n'était qu'un avant-goût de ce qui l'attendait, se rappela Celia. Elle espérait simplement qu'elle s'y habituerait.

— Ah, le futur marié ! annonça l'ambassadeur.

Elle se tourna, le cœur battant. Shane venait de passer le seuil, resserrant sa cravate tout en marchant. Il se figea en avisant la foule des invités qui le dévisageaient. Celia vit une gêne au moins égale à la sienne apparaître sur ses traits, et se sentit prise de compassion pour lui. Elle était sous les feux de la rampe depuis son enfance. Pas lui.

— Désolé, dit-il à voix basse en la rejoignant. J'ai été coincé dans un ascenseur. Je n'ai pas osé appeler de peur de te déranger au milieu d'une cérémonie protocolaire.

— Je suis heureuse que tu sois là, en tout cas.

Cadence St John présenta ensuite diverses personnalités au roi et à sa famille. Même si Celia commençait à avoir mal aux pieds, elle fit de son mieux pour saluer chacune comme si elle était la plus importante de la soirée. Pendant tout ce temps, Shane se tenait près d'elle, la dévisageant avec cette lueur avide dans le regard. Quel dommage qu'il ne rentre pas avec elle ce soir-là…

Le dîner fut enfin annoncé. Une table ronde avait été dressée spécialement pour les Carradine. Une fois assise entre l'ambassadeur et Harrison Montcalm, Celia enleva ses chaussures sous la table.

Une serveuse vint lui verser un verre de vin du Korosol, et Shane fronça les sourcils.

— Tu n'es pas censée boire ça pendant que tu es enceinte, n'est-ce pas ?

— Non, en effet.

La serveuse rougit jusqu'aux oreilles, ôta le verre et se confondit en excuses.

— Tout va bien, ce n'est pas grave.

— Je suis terriblement navrée, Votre Altesse, poursuivit la serveuse, avant de se retirer avec force courbettes.

— Je n'attendais pas une réaction aussi extrême, murmura Shane.

— Moi non plus…

— Il va falloir faire plus attention, désormais.

Il paraissait si embarrassé que Celia ne résista que de justesse à la tentation de lui caresser le visage et de l'embrasser. Elle n'avait aucun mal à imaginer la réaction de sa mère si elle faisait une chose pareille !

Le repas se déroula sans autre événement notable, et les invités se retirèrent un par un. Shane et Celia finirent par se retrouver seuls à leur table.

— Voyons voir, dit Shane. Tu en es à deux mois, c'est ça ?

— Oui.

— Ça correspond à quelle étape ?

— L'étape des nausées.

— Je parle du bébé. On peut déjà le qualifier de bébé ? Ou y a-t-il un autre terme ?

— Tu peux l'appeler Junior, si tu veux, plaisanta Celia.

— Tu veux dire que c'est un garçon ?

— Non, je n'en ai aucune idée. Mais pourquoi toutes ces questions ?

96

— J'essaie de me représenter notre fils ou notre fille. Est-ce qu'il montre déjà des signes de sa personnalité ?

— Tu plaisantes ? Je ne le sens même pas bouger.

— Ce sera pour quand ? murmura-t-il en se rapprochant. Tu crois que je le sentirai, moi aussi ?

— J'ai bien peur de ne pas pouvoir répondre. C'est mon premier enfant.

Celia balançait entre l'amusement et l'irritation. Elle ne s'était pas attendue à voir Shane prendre la paternité autant à cœur.

— Je croyais que tu n'aimais pas les enfants.

— Ceux des autres.

Puis, du ton de la plaisanterie, il ajouta :

— Ce bébé va avoir la vie dure, avec deux amateurs pour parents.

— Ce sont des amateurs qui ont construit l'Arche de Noé et des professionnels, le *Titanic*, fit valoir Celia. C'est une blague connue dans le milieu du fret.

— Je ne l'avais jamais entendue.

La musique recommença à cet instant et Charlotte, qui s'était éclipsée quelques minutes plus tôt, réapparut.

— Ton grand-père voudrait que tu danses avec Shane. Comme nous ne pourrons pas inviter tout le monde au mariage, ce sera une façon de partager les festivités.

Celia n'était pas sûre de vouloir se donner en spectacle avec Shane. D'un autre côté, c'était sans doute le seul contact rapproché qu'elle aurait avec lui avant le mariage…

— Si c'est la volonté du roi, qu'il en soit ainsi, déclara-t-elle.


Shane s'était attendu à une valse à l'européenne, mais il découvrit un large cercle de Korosoliens qui les attendait.

— Qu'est-ce que c'est que ça ?

— Une danse traditionnelle, dit Celia. Tu n'as qu'à suivre la musique, c'est facile.

Le mentor de Shane lui soutenait qu'il était important de savoir danser, mais les quelques cours qu'il avait fréquentés ne lui avaient pas appris que faire au milieu d'un cercle de gens qui tapaient dans leurs mains. Il découvrit cependant que Celia avait raison. Il n'était pas difficile de suivre le mouvement.

Il la regarda tout en dansant, s'émerveillant une nouvelle fois de sa grâce naturelle. Elle semblait étonnamment douce, ce soir, avec sa jupe rose et son pull angora qui soulignait ses courbes.

Il se rendit soudain compte que toute la salle dévisageait sa future épouse. D'une certaine façon, elle leur appartenait aussi. Et cela ne ferait qu'empirer lorsqu'elle serait reine.

Shane ressentit un pincement de jalousie à cette idée.

Celia revint enfin vers lui, après avoir dansé avec plusieurs autres personnes. Il en fut si heureux qu'il faillit l'étreindre.

La perspective de vivre séparé d'elle par un océan ne le satisfaisait plus. Il lui fallait veiller sur Celia. En tant que reine, elle deviendrait en effet une cible de choix. Aucun Etat n'échappait aux intrigues politiques.

Une soudaine détermination s'empara de lui. Il protégerait cette femme et leur enfant.

Lorsque la musique s'arrêta, son cœur battait la chamade. Il n'en saisit d'abord pas la raison. Puis il comprit brusquement.

Il était en train de tomber amoureux.

Et si c'était chose parfaitement normale pour n'importe quel autre homme, cela pouvait s'avérer une catastrophe dans leur situation. Il avait en effet promis à Celia de ne pas se mêler de sa vie. Et il tiendrait sa promesse.

En silence, il résolut de s'éloigner d'elle aussi vite que possible après leur mariage. Car s'il ne le faisait pas, il avait peur de ce qui pourrait advenir…

Il serait préférable, songea le roi quelques jours plus tard, tout en se détendant dans le Spa familial, d'emmener Celia au Korosol sitôt le mariage conclu. La réception à l'ambassade lui avait fait comprendre que Celia avait encore beaucoup à apprendre avant de pouvoir monter sur le trône.

Non que sa petite-fille l'eût déçu. Elle s'était parfaitement comportée pour une jeune femme sur le point de se marier. Mais elle ne s'était pas conduite en reine. Elle aurait dû consacrer moins de temps à son fiancé et davantage à ses sujets.

Il savait qu'elle apprendrait vite. Sa carrière chez DeLacey attestait assez de ses talents pour gérer et diriger. Et il était vrai que la nécessité de préparer le mariage la distrayait de son rôle à venir, tout comme elle le distrayait lui. Des inconnus allaient et venaient dans l'appartement depuis quelques jours, malgré les mesures de sécurité. Un jeune tailleur venu prendre des mesures et ignorant son identité l'avait même appelé « Papy ». Easton avait été sérieusement tenté de l'étrangler de ses propres mains…

Une fois sorti du Spa, il passa un peignoir et se rendit dans la cuisine. La cuisinière apparut et proposa de lui préparer un snack, mais il déclina son offre. Il était ravi, pour la première fois, de pouvoir piller le réfrigérateur tout à son aise.

Il entreprit de se faire griller un bagel, puis se dirigea nonchalamment vers l'entrée du salon principal. Il s'arrêta sur le seuil en apercevant ses petites-filles, assises en rond, leurs têtes blondes penchées au-dessus de ce qui semblait être un schéma. Le roi tendit l'oreille et comprit qu'elles discutaient du placement des invités au mariage.

Quel charmant spectacle elles offraient… Si seulement Cassandra pouvait les voir…

Cassandra pouvait les voir, songea-t-il soudain. En Celia, il entendait la mélodie de sa voix, reconnaissait l'appétit de vivre de son ex-femme. Et il était sûr qu'elle veillait également, de là-haut, sur sa filleule, Ellie.

Derrière lui, le grille-pain cliqueta. Il alla récupérer son bagel, y ajouta une tranche de fromage et monta manger son en-cas dans sa chambre.

— Je crois que ça devrait marcher, dit Amelia en étudiant leur plan de table une dernière fois. Il ne manque plus que l'approbation de maman.

— A mon avis, on devrait placer quelques ennemis ensemble. A quoi sert un mariage, si ce n'est à résoudre ses querelles ou à en provoquer d'autres ?

Celia espérait que sa sœur plaisantait. Mais avec Lucia, c'était difficile à dire.

— Je ne veux pas de querelles à mon mariage ! dit-elle.

— Personne n'oserait se comporter ainsi, s'exclama Ellie, qui avait été d'une aide précieuse pour établir le plan de table.

— Ce qui serait bien, en revanche, reprit Celia, ce serait que l'une de mes sœurs rencontre l'homme de sa vie à mon mariage. Laquelle d'entre vous veut attraper le bouquet ?

— Certainement pas moi, fit Lucia.

— Nous verrons bien où il tombera, déclara Amelia avec son pragmatisme habituel.

— C'est le destin qui choisira, renchérit Ellie.

— C'était bien de faire ce plan entre nous, soupira Amelia. Ça me rappelle le bon vieux temps.

Celia espéra qu'une fois reine, elle pourrait encore voir ses sœurs autant qu'elle le voudrait.

— J'aimerais te donner ton cadeau maintenant, dit Lucia.

— Avec plaisir.

Celia se rappela que sa sœur lui avait promis un bijou. Elle était sûre qu'il était merveilleux.

Lucia tira de son sac un petit paquet enveloppé de papier de soie et fermé par du raffia. Celia l'ouvrit fébrilement et en tira une boîte de velours verte.

Elle souleva le couvercle. A l'intérieur reposait une broche en forme de bouclier. Faite de minuscules diamants et saphirs, elle représentait le blason du Korosol. Dans le coin supérieur gauche se tenait un lion, symbole de courage. A droite, une colombe symbole de paix déployait ses ailes. Les deux quarts inférieurs représentaient l'un la mer, l'autre les montagnes.

— C'est fantastique ! s'exclama Ellie. Je n'arrive pas à croire que vous l'ayez faite vous-même !

— Ma sœur est très talentueuse, dit Celia. Je vais la porter sur ma robe de mariée.

— J'en serais flattée, répondit Lucia, rougissant de plaisir.

— Elle est assez légère pour ça, confirma Amelia en soupesant la broche. Et une mariée est supposée porter du bleu.

— Vraiment ? fit Ellie.

— Quelque chose de neuf, quelque chose de vieux, quelque chose d'emprunté et quelque chose de bleu, récitèrent les trois sœurs avant d'éclater de rire.

— Vous savez quoi ? dit Celia. Je suis heureuse que la nouvelle de ma grossesse ait éclaté pendant que grand-père est là. Sans quoi nous ne serions pas en train de préparer ce mariage.

— Comment crois-tu que la presse a été mise au courant ?

— Je n'ai jamais dit le nom du père à quiconque à part Hester. Et ce jour-là, je me rappelle avoir entendu du bruit dans l'escalier. Ce n'était pas toi, Amelia ?

— Non.

— Dans ce cas, c'était sans doute Rademacher.

— Ça ne m'étonnerait pas que Markus soit derrière tout ça, murmura Lucia, hochant la tête d'un air sombre. Tout le monde sait qu'il espérait être roi. Il a sans doute essayé de te discréditer.

— Mais il ignore que grand-père veut me céder le trône.

— Il n'y a pas grand-chose qu'il ignore, si tu veux mon avis. Je crois que nous n'avons pas fini d'entendre parler de lui.

Amelia frissonna.

— Ne dis pas ça. De toute façon, il est invité au mariage. Il est donc évident que nous allons entendre parler de lui.

— Son secrétaire a répondu qu'il ne viendrait pas, intervint Ellie. Retenu par une affaire urgente, apparemment.

— Tant mieux, dit Lucia. Il était plutôt drôle, autrefois, mais je le trouve sinistre depuis quelque temps.

Celia se sentait presque coupable d'accéder au trône que son cousin avait si longtemps convoité. Mais il semblait que le roi en avait décidé autrement.

— A quoi ressemble la vie au Korosol ? demanda-t-elle à Ellie. Je suppose que ça va beaucoup me changer.

— Oh, ça n'a rien à voir avec New York. J'ai grandi dans la ferme de mes parents, dans une partie isolée du pays. Mais c'était formidable. Je connaissais tout le monde et j'avais mon propre cheval. Evidemment, à Korosol la Vella, la capitale, la vie est différente. C'est un mélange de ville ancienne et moderne. Les cyber-cafés y côtoient les bâtiments historiques.

— Où vont les gens pour leurs vacances ?

— Mes parents vont du côté d'Esperana, une station thermale en montagne. Les jeunes préfèrent Serenedid, au bord de la mer. C'est un port qui attire une clientèle internationale.

— Celia pourra aussi aller à Paris, de là-bas, non ? s'enquit Amelia.

— Ou à Barcelone, fit Ellie. C'est une ville superbe. Encore très différente d'ici. Mais je dois dire que j'adore New York.

— Vous allez peut-être vouloir rester ? suggéra Lucia.

— Oh non ! Je ne peux pas quitter le pays. Surtout depuis que mon frère est rentré. Il était plutôt turbulent, dans sa jeunesse, mais ça a changé depuis qu'il a adopté deux enfants à l'étranger.

— Votre frère a adopté des enfants à l'étranger ? demanda Amelia d'une voix étrange. Je ne pensais pas… Vous vous appelez Standish, c'est ça ?

— Il les a peut-être adoptés par ta fondation, suggéra Lucia. Ce serait amusant, non ? Tu l'as peut-être même rencontré.

— En tout cas, reprit Ellie, Nickie adore Jakob et Josie. Et c'est un père formidable.

— Nickie, c'est l'abréviation de…, commença Amelia.

— Nicholas, répondit Ellie. Je suis contente qu'il se soit stabilisé. Il est parti il y a plusieurs années. Mes parents étaient furieux.

— Ça doit être dur, commenta Lucia. Malgré nos frictions avec maman, nous sommes toutes très proches.

Amelia eut un sourire crispé.

— En parlant de la fondation, je viens de me rappeler que j'avais du travail à finir. Excusez-moi.

Elle quitta la pièce si rapidement que les trois autres se dévisagèrent avec étonnement.

— Qu'est-ce qui lui prend ? demanda Celia.

Personne n'eut l'occasion de répondre, car le téléphone sonna. C'était la secrétaire de Charlotte qui appelait à propos du mariage. Lorsque Celia raccrocha, il lui fallut courir à un essayage au salon de Yuki.

Encore deux jours, et Shane et elle seraient mariés. Elle oscillait, à cette idée, entre excitation et terreur.

Elle savait qu'elle s'en remettrait. La question était de savoir comment.

# 8.

— Nous avons passé les lieux au peigne fin et vérifié toutes les invitations, annonça sir Devon Montcalm.

Le roi Easton, qui observait la foule depuis une fenêtre du deuxième étage du manoir où avait lieu le mariage, acquiesça.

— Aucun signe de Rademacher ou de mon petit-fils ? demanda-t-il. Ça ne m'étonnerait pas qu'ils tentent d'impressionner les gardes pour entrer.

— J'ai donné des consignes très strictes, dit Cadence St John, qui se tenait également aux côtés du monarque.

Easton aurait aimé que sir Harrison fût là, mais ce dernier était à l'ambassade et vérifiait si des rumeurs faisaient état de quelconques manœuvres souterraines et sournoises de Markus. Avec un peu de chance, Harrison aurait terminé à temps pour assister au mariage.

Easton n'allait pas jusqu'à imaginer que Markus pourrait user de violence à l'encontre de Celia. Malgré cela, il préférait parer à toute éventualité.

En contrebas, une foule dense de curieux se pressait à l'entrée du manoir, contre les barrières de sécurité. Des caméras pointaient leur œil rond derrière chaque fenêtre de l'immeuble qui leur faisait face, et depuis les toits avoisinants. Apparemment, la presse tenait à filmer l'événement sous chaque angle.

104

Au-dessus de leurs têtes, le son d'un hélicoptère se fit entendre.

— Qu'est-ce que c'est que ça ?

Devon prononça quelques mots dans un talkie-walkie et écouta la réponse.

— C'est une station de télévision locale, annonça-t-il enfin.

Des exclamations dans la foule attirèrent soudain l'attention du roi. Une calèche tirée par quatre chevaux blancs venait de tourner le coin de la rue.

Charlotte avait fait les choses en grand. Les cuivres de la calèche brillaient de mille feux sous le soleil de mars, la respiration des chevaux se cristallisait en petits nuages blancs.

L'équipage s'arrêta devant l'entrée du manoir. Deux gardes en costume médiéval allèrent ouvrir la portière. Charlotte émergea de la calèche la première, et le vent fit claquer son élégante tunique pêche. La foule applaudit, au grand amusement du roi.

Elle fut suivie par Amelia et Lucia, toutes deux ravissantes en robes assorties. Elles portaient chacune un bouquet de fleurs bleues et blanches retenues par un ruban d'argent.

La foule poussa des « oh » et des « ah » d'admiration. Easton retint son souffle.

L'un des gardes se pencha vers l'intérieur du carosse, offrant son bras. Une main gantée de blanc se posa dessus, et un pied chaussé de soie descendit sur le marche-pied.

De sa place, le roi vit d'abord la tiare de Celia, surmontant une cascade de cheveux blonds. Sa petite-fille apparut enfin tout entière, dans un nuage de satin blanc. Un murmure d'admiration monta de la foule des badauds.

Celia parut hésiter, puis leva la tête vers la fenêtre. Son regard vert croisa celui d'Easton, et elle sourit. Cinquante années s'évanouirent aussi brusquement qu'une brume matinale et le roi vit soudain Cassandra à leur mariage. Un mélange de bonheur et d'expectative l'envahit, comme s'il était de nouveau un jeune marié.

Des larmes de joie brouillèrent sa vision. Lorsqu'elles se dissipèrent, Celia avait disparu à l'intérieur du manoir.

— Votre Majesté ? dit Devon. Peut-être devrions-nous descendre…

— Oui, bien sûr.

Négligeant le bras que lui offrait le capitaine, Easton sortit de la pièce. Comme il se sentait un peu faible après cette bouffée d'émotion, il préféra cependant l'ascenseur à l'escalier. Il voulait garder toutes ses forces pour conduire sa petite-fille à l'autel.


Celia attendait le signal qui lui indiquerait qu'elle pouvait remonter l'allée centrale de l'église. Le roi se tenait près d'elle, droit et puissant. En dépit de sa présence rassurante, elle sentait ses genoux trembler et avait les mains moites. Lucia et Amelia, devant elle, paraissaient tout aussi nerveuses.

Pour la centième fois, elle effleura la broche qu'elle portait sur sa robe. De nouveau, le blason du Korosol lui donna du courage. Elle ne décevrait pas le roi. Grâce à Dieu, le bébé paraissait être d'accord avec cela, et ne lui causait pas de nausée.

Du vestibule où elle se tenait, il lui était impossible de voir la salle où allait se dérouler la cérémonie. Shane était-il déjà là ? Elle se pencha pour essayer d'apercevoir l'autel, par la porte entrebâillée, mais ce fut en vain.

Les premières notes d'une mélodie du Korosol, jouée à l'orgue, s'élevèrent soudain, accompagnées du chant d'une soprano. Les invités s'imaginaient sans doute que les paroles, en français, parlaient d'amour. Mais Celia savait que la chanson demandait à Dieu courage et force. Elle l'avait personnellement choisie parce qu'elle devinait qu'elle allait en avoir besoin ce jour-là.

La chanson se termina et, presque aussitôt, la marche nuptiale se fit entendre.

— A nous, murmura Amelia.

106

Ses deux sœurs partirent, et Celia entendit le bruit des gens qui se retournaient sur leurs sièges.

— Tu es prête ? demanda le roi.

— Autant que je pourrai jamais l'être…

Son grand-père sourit, et ils pénétrèrent dans l'allée centrale. Un océan de visages était tourné vers eux. Celia vit sa secrétaire, Linzy Lamar. Puis Hester et Quincy Vanderling. Elle reconnut aussi des amies d'enfance et d'université, des cadres de DeLacey, des membre de sa famille côté maternel. Et Charlotte elle-même, les larmes aux yeux.

Enfin, elle se tourna vers l'autel. Shane l'attendait, vêtu d'un smoking noir. Ses yeux la transpercèrent, et un sourire étira ses lèvres sensuelles.

Il ressemblait trait pour trait au prince charmant dont elle avait toujours rêvé.

Shane s'était toujours demandé pourquoi les femmes faisaient un tel foin du mariage. D'un point de vue strictement masculin, signer des papiers suffisait largement. Inutile d'en faire des tonnes.

Il devait pourtant admettre que l'endroit était magnifique, et la musique émouvante. Des fleurs ornaient le moindre recoin du manoir, qui avait été décoré pour évoquer un château médiéval.

Ed Ferguson, nota-t-il avec amusement, paraissait encore plus excité que lui. Son ami et assistant avait commencé à rassembler des souvenirs, cartons d'invitations, photos des essayages, menus, dans un grand carnet.

Shane se tourna lorsqu'il vit ses deux belles-sœurs remonter l'allée centrale au son de la marche nuptiale. Une étrange émotion lui serra le cœur. Jamais cette mélodie si familière ne lui avait fait cet effet-là. Il avait l'impression de flotter au-dessus du sol. Il se sentait invincible.

Quand Celia apparut enfin, il sembla à Shane que des rais de lumière convergeaient vers elle, plongeant le reste du manoir dans l'ombre. Il n'avait jamais vu la délicatesse de ses traits avec une telle clarté... ni la vulnérabilité qui tremblait comme une flamme dans son regard. Elle avait besoin de lui. Ils avaient besoin l'un de l'autre.

Il tendit la main, prit celle de Celia dans la sienne. Il entendit, comme d'une voix lointaine, le prêtre demander :

— Qui donne cette femme à cet homme ?

A quoi le roi répondit :

— Moi, Easton Carradine.

Shane n'aspirait qu'à une chose : dire le « oui » qui le lierait à Celia pour toujours. Mais le prêtre ne semblait guère pressé d'en arriver là et s'était lancé dans une tirade sur le mystère du mariage, où deux esprits se fondaient pour n'en faire qu'un.

Il la dévisagea longuement pendant ce discours, émerveillé par sa beauté, par la violence des sentiments qu'elle éveillait en lui. Il avait envie de la prendre dans ses bras, de l'embrasser, de rire avec elle, de la réconforter quand elle serait triste.

Il avait beau tout faire pour lutter contre, il aimait cette femme.

— Shane O'Connell, voulez-vous prendre Celia DeLacey Carradine...

— Oui, dit-il avant que le prêtre puisse finir. Oui, je le veux.

Un brouhaha amusé s'éleva des premiers rangs. Shane s'en moquait.

— ... pour la chérir, pour le meilleur et pour le pire, jusqu'à ce que la mort vous sépare ?

Le silence retomba.

— Répète-le, chuchota Ferguson.

Shane cligna des yeux, et se rendit compte que tout l'auditoire était suspendu à ses lèvres.

— Comme je l'ai déjà dit, oui, je le veux.

Cette fois, les rires furent plus prononcés. Celia, pour sa part, donna un accord solennel au bon moment. Comment pouvait-elle arborer une telle maîtrise de soi ?

Cela s'expliquait sans doute par le fait d'être princesse…

La réception battait son plein lorsque Celia revint enfin à la réalité. Elle avait été plongée dans un état de transe depuis qu'elle avait croisé le regard de Shane devant l'autel.

Quand il l'avait enfin embrassée pour sceller leur union, elle avait été prise d'un soudain désir de le prendre par la main et de s'enfuir avec lui. Dieu merci, les visages de son grand-père et de sa mère, au premier rang, lui avaient permis de garder le contrôle d'elle-même. Jamais elle ne les laisserait tomber.

Elle avait ensuite salué chacun des invités tour à tour, prenant son temps, luttant contre son désir de se retrouver seule avec Shane. Après tout, ce n'était que le prélude à ce qui l'attendait en tant que reine. Elle aurait moins d'intimité qu'une personne normale, et il lui fallait s'y habituer.

Celia était sur le point de s'asseoir, pour soulager ses pieds qui lui faisaient mal, lorsque le chef d'orchestre lui fit un signe.

— Il veut que vous alliez ouvrir le bal, Shane et toi, chuchota Charlotte.

Elle hocha la tête, prit le bras que lui offrait son mari et se dirigea vers la piste.

— J'ai choisi une valse de Strauss, annonça-t-elle. J'espère que ce n'est pas trop formel pour toi.

— J'aurais préféré du rap.

Comme elle arborait une mine inquiète, Shane éclata de rire et l'entraîna dans une valse souple. Il dansait à merveille et elle poussa un soupir d'aise. Pour une fois, elle était ravie de ne pas être aux commandes et de se laisser porter.

La bienséance requérait qu'elle gardât ses distances avec son mari, et cela ne fit qu'accentuer sa frustration. Elle savait que ce moment n'avait sans doute pas la même importance pour lui, mais elle aurait voulu que cette valse ne s'arrête jamais.

Le morceau se termina bien trop tôt à son goût. Ils regagnèrent leur place sous les applaudissements de la foule.

— Vous êtes tous les deux superbes, dit Charlotte.

— Magnifiques, renchérit le roi avec une émotion visible.

— Et si nous mangions ? s'enquit Amelia. Je meurs de faim.

— Nous ne sommes pas venues pour manger, répliqua Lucia en retirant ses épingles à cheveux. Pour ma part, j'ai très envie de danser. Quelqu'un a vu mon cavalier ?

— Tu n'es pas venue seule ? s'étonna Celia.

— Non. Ah, le voilà.

Elle fit signe à un jeune homme de l'autre côté de la pièce. Celia ne le distinguait pas bien, parmi la foule, mais il était sans doute le seul à ne pas porter de smoking. Il arborait en revanche des cheveux longs qui auraient fait pâlir une femme de jalousie.

— Est-ce que ça ne serait pas…, fit Amelia en fronçant les sourcils. C'est un chanteur de rock, n'est-ce pas ?

— A plus tard ! s'exclama Lucia.

Et elle s'éloigna avec une hâte fort peu féminine.

— Je ne sais pas où elle l'a trouvé, celui-là, marmonna Charlotte, mais je suis sûre que c'est pour me narguer.

— Tu ne devrais pas le juger d'après son apparence. C'est peut-être quelqu'un de très bien.

— Je préférerais que ce soit quelqu'un aux cheveux courts.

— Tu devrais te réjouir si elle ne l'a amené que pour te narguer, fit valoir Celia. Ça veut dire que ce n'est pas sérieux.

— Lucia n'a jamais de relation sérieuse, de toute façon, soupira sa mère.

110

— Peut-être parce qu'elle n'a jamais rencontré l'homme qu'il lui faut, hasarda le roi. Quelqu'un de courageux, d'intelligent, de solide.

— Je l'ai déjà épousé, dit Celia en riant.

— C'est vrai. Mais je pensais à quelqu'un comme sir Devon. Ta sœur pourrait faire plus mauvais choix.

— Ne lui dites pas ça ! l'avertit Charlotte. Elle vous adore, mais elle a la fibre rebelle.

— Je tâcherai de m'en rappeler. A présent, si vous voulez bien m'excuser, je vois que sir Harrison vient de revenir de l'ambassade. Je voudrais discuter avec lui.

Il s'éloigna, et Amelia pouffa :

— Je rêve ou grand-père joue les entremetteurs ?

— J'imagine mal Lucia épouser un militaire ! dit Celia. Je la vois plutôt avec un artiste.

— On ne sait jamais. Un peu de stabilité pourrait lui faire du bien, déclara Charlotte.

— Désolé de vous interrompre, intervint Shane, mais vous avez vu cette femme aux cheveux rouges qui s'approche de nous ? Elle détone un peu…

Il indiqua une femme de petite taille qui portait une robe rose presque fluorescente. Celia se rappelait avoir vu cette robe auparavant, mais elle ne reconnaissait pas sa propriétaire. Même si ses yeux lui semblaient familiers…

— C'est la plus atroce perruque que j'aie jamais vue, lâcha Charlotte en plissant le nez.

— C'est Krissy Katwell ! s'exclama soudain Amelia.

— Bon sang, quel toupet !

Celia se leva aussitôt.

— Je vais prévenir le capitaine de la Garde.

— Je m'en charge, dit Shane.

Il alla glisser quelques mots à l'oreille de sir Devon. Celui-ci se dirigea aussitôt vers la journaliste, qui tenta de s'enfuir tel un crabe paniqué.

— Madame, s'il vous plaît !

Elle voulut l'esquiver, mais Devon la retint d'une poigne si ferme que sa perruque glissa et révéla ses cheveux en bataille. La journaliste l'accabla d'insultes qui parurent fort peu le toucher, et il la conduisit sans ménagement vers la sortie.

Le roi revint, l'air vaguement amusé.

— Cette femme est coriace.

— Une vraie peste, renchérit Charlotte. Mais invitez donc le général Harrison à nous rejoindre.

— Je pense qu'il préfère surveiller les lieux pendant que son fils reconduit Mlle Katwell vers la sortie.

— Je ne savais pas que sir Devon était le fils de sir Harrison, fit Amelia. C'est pratique pour eux de travailler ensemble.

— Malheureusement, ils ne sont pas très proches pour autant, soupira Easton. Ça arrive, dans certaines familles.

— Pas dans la nôtre, dit Celia. En tout cas, j'espère que ça n'arrivera jamais.

— Ma chère, dit le roi, j'apprécierais que tu me fasses l'honneur d'une danse, si ton état le permet.

— J'en serais ravie.

Ils se rendirent sur la piste au moment où l'orchestre entamait une valse lente. Le roi était un danseur merveilleux qui, malgré son âge, n'avait rien perdu de sa grâce juvénile.

Lorsque la musique s'arrêta, il s'inclina, et elle exécuta une révérence. Les genoux de la jeune femme craquèrent si fort que Celia se demanda si toute la ville ne l'avait pas entendue.

— N'y fais pas attention, lui murmura son grand-père en la reconduisant à la table. Fais comme s'il ne s'était rien passé et tout le monde t'imitera.

— Compris.

Au passage, Celia nota que Lucia était en pleine conversation avec sir Harrison. La discussion semblait animée, et l'expression de sa sœur laissait supposer qu'elle était captivée, ou irritée. C'était difficile à dire avec Lucia.

La secrétaire du roi était assise à une table proche, très séduisante en robe rose pâle. Lorsqu'un homme tenta d'attirer son regard, elle baissa aussitôt les yeux vers ses pieds, et l'autre s'éloigna sans l'inviter à danser.

— Je ne sais pas ce qu'ont les jeunes d'aujourd'hui, grommela le roi, qui avait apparemment été lui aussi témoin de la scène. Un rien suffit à les décourager.

— Ellie est une fille superbe, renchérit Celia. Mais très timide, on dirait.

— Un jour, quelqu'un saura la faire sortir de sa coquille.

Lorsqu'ils rejoignirent la tablée, Shane se leva et prit la main de Celia. Un frisson courut dans tout son corps, lui faisant oublier Ellie Standish.

— Ne t'assieds pas, lui dit son mari. On nous attend pour couper le gâteau.

— J'aimerais qu'Amelia le coupe pour moi, murmura Celia. Je suis plutôt maladroite.

— Tu n'as qu'à t'imaginer que le gâteau est l'un de nos rivaux…, suggéra Shane.

Finalement, Celia se tira fort bien de sa tâche. On déboucha le champagne, et la fête se fit peu à peu plus animée et plus bruyante. Amelia dansa avec un ami à elle, Charlotte valsa dans les bras de l'un des directeurs de DeLacey.

— Ils ont tous l'air de bien s'amuser, observa Celia, presque mélancolique.

— Pas toi ?

— Je voudrais juste que les choses soient plus simples. Qu'il n'y ait pas tant qui dépende de moi. Que nous puissions passer plus de temps ensemble.

— Le moins que nous puissions faire, c'est profiter du temps qui nous est imparti. Tu crois que quelqu'un remarquerait si nous nous éclipsions par la porte de service ?

— Nous tomberions sans doute droit sur Krissy Katwell. Et puis, je suppose qu'il y a toujours des gens devant le manoir qui attendent de nous voir sortir.

— C'est vrai, nous ne pouvons pas décevoir notre public, commenta Shane, fair-play.

Cela prit bien trop longtemps au goût de Celia, mais ils parvinrent enfin à prendre congé. Les gardes royaux formèrent une haie protectrice, et des vivas éclatèrent sitôt qu'ils émergèrent du manoir. La foule amassée là dispersa des pétales de fleurs et des grains de riz avec enthousiasme. Celia salua, et fut touchée d'entendre des applaudissements crépiter.

Elle monta dans la calèche, aidée par Shane. Puis sir Devon referma derrière eux et prit place sur le marche-pied, toujours en alerte.

Un fouet claqua, les chevaux s'ébrouèrent.

Prochaine étape : la lune de miel.

# 9.

Shane avait accepté, contre mauvaise fortune bon cœur, que la lune de miel ait lieu chez les Carradine. Il s'était d'abord insurgé contre cette décision du monarque – « pour raisons de sécurité » – mais s'était finalement incliné lorsque Celia lui avait jeté un regard implorant.

Il ne s'était en revanche pas attendu à trouver Ferguson dans leur chambre en arrivant. Apparemment, son assistant et meilleur ami s'était hâté de les devancer.

— Je voulais déballer tes affaires, expliqua-t-il entre deux allées et venues d'un placard à la valise.

— J'apprécie ta sollicitude, fit Shane en riant, mais je ne suis pas empoté à ce point, tu sais. Tu es censé être en vacances, tu te rappelles ?

— Dès demain. Où dois-je mettre ça ?

Il lui montra une pile de caleçons soigneusement pliés. Shane, que rien n'embarrassait en général, ne put s'empêcher de rougir. Il les prit des mains de son assistant.

— Je m'en occupe.

— Je t'ai libéré un tiroir, annonça Celia, qui avait étudié la scène avec amusement.

Shane y fourra ses sous-vêtements. Ferguson réprima de façon visible son envie d'aller y remettre de l'ordre.

— Tu as besoin de te trouver un hobby, grommela Shane.

115

— J'en ai un. Je tiens des carnets.

— A propos de quoi ?

— De tout et n'importe quoi. Un par thème.

— C'est drôle, intervint Celia, ma secrétaire fait ça aussi.

— Vraiment ? Elle aura peut-être des photos du mariage que je n'ai pas, alors.

— Sans doute. Vous devriez l'appeler. Dites-lui que c'est de ma part.

— Bonne idée. Bon, je vous laisse, à présent.

Et, après un petit salut gêné, il se retira.

— Il t'est très dévoué, remarqua Celia en ôtant sa broche, et en la déposant sur une table basse.

— Qu'est-ce qui t'a pris de l'envoyer voir ta secrétaire ?

— Je ne joue pas les entremetteuses, en général, mais elle et lui ont beaucoup en commun. Et puis, Linzy est veuve depuis deux ans.

— Laisse-moi t'aider, intervint Shane comme elle peinait à ôter les épingles qui maintenaient sa tiare.

Mais Celia lui échappa, souple comme une anguille, et se dirigea vers la cuisine.

— Tu n'as pas faim ?

— Faim ? Après ce que nous venons d'avaler ? La seule chose que j'aie envie de dévorer, c'est toi.

Il avait eu peine à détacher ses yeux de Celia de toute la soirée. Elle semblait irradier, plus encore que d'ordinaire. Le tissu diaphane qui couvrait son dos et sa gorge le mettait à la torture.

Elle était sa femme. Bon, d'accord, sa femme à mi-temps. Mais elle lui appartenait au moins jusqu'à la fin de la semaine...

— Je suis un peu nerveuse, confessa-t-elle.

— A propos de quoi ?

— Faire l'amour. Comme si c'était planifié.

— C'est ce que font en général les mariés pendant leur lune de miel.

116

— Bien sûr. Mais c'était si spontané, la dernière fois…

— C'est vrai. Mais je te promets qu'une fois que nous aurons commencé, tu trouveras ça très spontané.

— Le problème, c'est que je ne me sens pas dans la peau d'une jeune mariée.

— Ah. Qu'as-tu l'impression d'être ?

— Je ne sais pas. Mais peut-être que nous ne devrions pas faire l'amour. Je veux dire, pas ce soir. Nous avons eu une longue journée, après tout…

Shane crispa visiblement la mâchoire.

— C'est notre nuit de noces, lui rappela-t-il.

— Nous avons déjà eu notre nuit de noces il y a deux mois. C'est pour ça que nous en sommes là.

— Et c'est si terrible ? demanda-t-il en s'approchant, puis en la toisant de toute sa taille.

— Tu n'obtiendras rien par la force, rétorqua-t-elle en redressant le menton.

Il continua malgré tout d'avancer vers elle, jusqu'à ce qu'elle soit obligée de reculer.

— Je n'ai pas menacé d'employer la force.

— Non, mais ta présence est intimidante.

— Ma présence est surtout requise pour consommer ce mariage. Et ne me dis pas que c'est fait depuis deux mois. Je ne me rappelle déjà plus de rien.

— C'est vrai ?

— Non, c'est complètement faux. Je me souviens de tout, et c'est pour ça que j'ai une folle envie de recommencer.

Il avait réussi à la coincer contre un mur. Celia n'avait plus moyen de lui échapper.

— Si tu étais un gentleman, fit-elle valoir avec toute la dignité dont elle était capable, tu respecterais mes vœux.

117

— Mais je ne suis pas un gentleman. Je suis un ruffian. Un mercenaire. Celia dit, en signe de bonne volonté, je vais t'aider à retirer ta tiare.

Comme les épingles commençaient à lui faire mal, Celia décida d'accepter.

— D'accord, je t'y autorise.

— Merci bien, Ton Altesse.

Celia ferma instinctivement les yeux lorsque les doigts de Shane glissèrent dans ses cheveux.

— Le moins qu'on puisse dire, maugréa-t-il après quelques instants, c'est que c'est solidement fixé.

— Le coiffeur a promis à ma mère que la tiare ne bougerait pas.

— Il n'a pas menti... Ah, voilà.

Celia sentit les épingles glisser dans ses cheveux, et Shane lui ôta enfin la tiare. Ensuite, du bout des doigts, il lui massa doucement le cuir chevelu. Elle ne put retenir un soupir d'aise.

— Ça fait du bien...

Il poursuivit son massage sur ses tempes, puis encadra son visage de ses mains et l'embrassa enfin.

Ce n'était pas un baiser tendre et délicat, mais une injonction de s'abandonner à lui. « Juste une seconde, alors », songea Celia, entrouvrant les lèvres pour laisser sa langue conquérir la sienne.

Mais une seconde ne suffirait pas. Elle enroula donc ses bras autour du cou de Shane et, sans réfléchir, l'embrassa passionnément en retour.

Les mains de son compagnon descendirent sur sa poitrine, et elle le sentit durcir contre elle. Une vague de désir déferla en elle, les pointes de ses seins se dressèrent sous les caresses de Shane et ses jambes se mirent à flageoler. C'était exactement comme cela qu'elle avait réagi deux mois plus tôt. Pas étonnant que leur première nuit se soit finie dans une étreinte passionnée...

Soudain, Shane se détacha d'elle.

— Bon, je crois que ça suffit pour ce soir.

— Quoi ?

— Tu as dit que tu ne voulais pas faire l'amour ce soir.

Celia hésita, puis se raccrocha à un semblant de fierté.

— C'est vrai.

— Bon, il est 10 heures, et « ce soir » se termine techniquement à minuit. Nous avons donc deux heures à tuer. Tu n'aurais pas un bon film dans ta vidéothèque ? Avec des coups de feu et des voitures qui explosent, si possible.

Celia prit une profonde inspiration. Shane jouait avec elle, c'était évident.

— Non, nous n'avons que des comédies romantiques.

— Je ne suis pas d'humeur. Tant pis, voyons ce qu'il y a à la télé.

Il prit la télécommande et s'effondra sur le canapé. Celia la lui arracha des mains.

— Je t'interdis d'allumer cette fichue télé !

Un sourire étira ses lèvres. Elle remarqua qu'il avait ôté son nœud papillon.

— Tu as changé d'avis ? demanda-t-il d'un ton faussement détaché.

— Pas le moins du monde. C'est juste que tu n'as pas fini ton travail. Il faudrait que tu m'aides à déboutonner ma robe. Je n'y arriverai pas toute seule, avec ces boutons.

— D'accord, tourne-toi.

Elle obéit, et le sentit marquer un temps d'arrêt.

— Mais il n'y a pas de boutons… Juste une fermeture Eclair.

— Tant mieux pour toi, dit-elle avec un haussement d'épaules.

Il eut une autre hésitation, puis entreprit de faire glisser sa fermeture centimètre par centimètre.

— Tu as raison, ironisa-t-il. C'est difficile.

119

— Ça le sera encore plus quand je porterai mon armure.

— Oh, parce que c'est ce que portent les reines, aujourd'hui encore ?

— Oui. Avec une lance, une dague et quelques grenades.

— On dirait une scène d'un de mes films préférés...

Lorsque la fermeture fut complètement descendue, il entreprit de faire glisser la robe de ses épaules. Ses lèvres effleurèrent sa peau nue, entre ses omoplates. Puis il souleva le rideau de ses cheveux et lui embrassa la nuque. Ses mains conquirent de nouveau ses seins et elle se plaqua contre lui avec un petit gémissement. Des hanches, elle entreprit un mouvement de va-et-vient contre son bassin, lui arrachant un soupir rauque.

La robe tomba enfin à terre et elle se retrouva en sous-vêtements, exposée au regard de son mari. C'était une expérience nouvelle et incroyablement excitante.

— Ma femme, murmura-t-il. Tu es absolument magnifique...

— Est-ce que tu n'es pas un peu trop habillé pour l'occasion ?

— Je n'arrive pas à enlever mes boutons de manchette. Tu pourrais peut-être m'aider à ton tour ?

Elle s'exécuta, et la tension sexuelle qui vibrait entre eux augmenta d'un cran. Puis Celia s'attaqua à sa chemise, et écarta ses pans immaculés pour révéler un torse puissant, aux formes sculpturales. Elle voulut y poser la main, mais Shane lui attrapa les poignets.

— Eh bien, on dirait que j'ai capturé une reine...

— Je suis à ta merci. Que dois-je faire ? T'enlever ton pantalon ?

Il plissa les yeux, et murmura d'une voix rauque de désir :

— D'accord. Mais fais vite. Je suis pressé.

— Nous devrions prendre notre temps. C'est une soirée spéciale.

— Oh, mais nous allons prendre notre temps. Du moins, quand je te ferai l'amour pour la troisième fois.

— Espèce de macho, le taquina-t-elle.

— Je n'ai jamais prétendu être quoi que ce soit d'autre.

Il ôta son pantalon, et Celia frémit à la vue de l'impressionnante protubérance qui gonflait son short de coton gris.

Puis il l'enleva à son tour, lui révélant toute la splendeur de sa virilité. Le regard de Shane s'était assombri, sa mâchoire était crispée.

Celia ne se souvint pas des quelques secondes qui suivirent. Elle sut seulement qu'elle se retrouva sur le lit, à onduler voluptueusement sous les assauts puissants de son compagnon, leurs corps mêlés en une danse primitive, venue de la nuit des temps. A l'excitation physique se mêlait une jubilation qui accentuait son plaisir.

Ils connurent la volupté ensemble, et rejoignirent l'espace d'un instant les étoiles qui scintillaient au-dessus d'eux, dans la nuit new-yorkaise.


Celia s'éveilla sous la caresse d'un rayon de soleil. Cela la surprit. Elle n'avait pas dormi après 6 heures du matin depuis son adolescence.

Elle roula sur le côté et regarda Shane. Il dormait sur le dos, le drap remonté jusqu'à sa taille. Un début de barbe ombrait ses joues et lui donnait l'air d'un pirate.

« Je l'aime », songea-t-elle, le cœur gonflé par une bouffée de joie. Il était l'homme de sa vie, même si elle avait tout fait pour le nier et lui résister.

Un éclat attira soudain son regard, sur la table de chevet. C'était sa broche. Un pays tout entier incarné par ces symboles. Péniblement, Celia revint à la réalité.

Shane avait beau être l'homme qu'elle aimait, il n'allait pas bouleverser sa vie pour la suivre. Et elle ne le lui demanderait pas. Peut-être que si le Korosol n'avait pas eu besoin d'elle, ils auraient pu avoir une vie normale.

Ou peut-être pas. Car c'était justement son futur statut qui lui avait imposé ce mariage. Elle ne savait si elle devait s'en réjouir ou le regretter.

Un poids parut tomber sur sa poitrine. Oui, elle aimait Shane. Et elle profiterait au maximum des quelques jours de liberté qui leur étaient impartis.

Mais elle ne devait pas se faire d'illusion : ils n'avaient pas d'avenir ensemble.

— Nous avons oublié quelque chose, dit Shane pendant qu'ils se douchaient.

— Quoi donc ?

A côté de lui, dans la cabine enfumée, Celia se savonnait sans paraître avoir la moindre idée du spectacle incroyablement excitant qu'elle offrait.

— Tu n'as pas mis ta nouvelle chemise de nuit. Celle que t'a dessinée Yuki.

— Nous avons encore une demi-douzaine de nuits, répondit la jeune femme en passant le gant sur son ventre.

Shane se sentit de nouveau durcir. Il était regrettable que les émois d'un homme fussent si faciles à déchiffrer...

Puis il songea à ce que Celia venait de dire, et fronça les sourcils.

— Comment ça, une demi-douzaine de nuits ? Et après ? Ce n'est pas parce que notre lune de miel sera finie que nous ne pourrons pas nous voir.

— Mon grand-père veut m'emmener au Korosol la semaine prochaine, annonça Celia.

122

La nouvelle fit à Shane l'effet d'un coup de massue.

— Déjà ? Pourquoi tant de précipitation ?

— Il m'a dit la semaine dernière que j'avais encore beaucoup de choses à apprendre avant de devenir reine, soupira Celia. Le protocole, les traités, la politique du pays, ses projets pour l'avenir...

— Mais il sera là pour te guider, non ?

— J'espère bien !

Celia appliqua du shampoing sur ses cheveux mouillés et les massa doucement. La mousse lui fit comme un halo autour de la tête, et Shane espéra qu'elle n'allait pas se transformer en sainte...

— Dans ce cas, nous pouvons nous accorder un peu plus de temps, fit-il valoir.

— Shane, soyons honnêtes. Nous nous entendons à merveille, et il est dommage que nous ne puissions pas avoir une lune de miel normale. Mais tu le savais. Ça faisait partie du contrat.

— Je n'ai jamais dit que je voulais revenir dessus, protesta-t-il. Je n'ai juste pas envie qu'on m'enlève ma femme alors que je viens à peine de faire sa connaissance.

— Nous nous connaissons depuis au moins deux mois, dit-elle avec un sourire.

Shane resta de marbre. Il avait peine à lui faire partager son point de vue parce qu'il n'était pas très sûr de le comprendre lui-même. Il savait seulement que la nuit dernière, il avait vécu quelque chose d'unique... Et qu'il voulait le revivre, encore et encore, jusqu'à satiété.

— Si tu pars maintenant, nous risquons de manquer quelque chose d'essentiel pour notre relation. Nous sommes en train de bâtir les fondations d'une maison. Ou d'un palais, si tu préfères. Une fois qu'elles seront en place, nous pourrons prendre notre temps pour le reste. Mais si nous nous arrêtons maintenant, la construction ne tiendra pas le coup.

— Nous ne construisons rien, répondit Celia en se remettant à masser son cuir chevelu. Comment le pourrions-nous ? Et puis, mon grand-père compte sur moi et je sais qu'il est pressé de m'amener au Korosol.

— Laisse-moi m'occuper de ton grand-père, répondit Shane, encore qu'il n'avait aucune idée de ce qu'il allait faire.

— Tu ne peux pas te mettre entre lui et moi. C'est moi qui devrais lui parler, et je n'en ferai rien.

— C'est bon, j'ai compris.

La dernière chose que Shane voulait, c'était se disputer avec Celia. Mais cela ne signifiait pas pour autant qu'il allait abandonner…

En fait, il venait d'avoir l'ébauche d'une idée…

# 10.

Celia avait parfois l'impression que sa lune de miel avait été organisée par les Marx Brothers. Certes, ses nuits étaient merveilleuses. Et sa famille observait une discrétion de bon aloi, évitant la partie de l'appartement où elle habitait.

Mais cela n'allait pas pour autant sans accrocs. Un jour, par exemple, Celia et Shane avaient trouvé le roi dans le Spa alors qu'ils espéraient y passer quelques instants d'intimité. Ils n'avaient eu d'autre choix que de rester faire la conversation, alors qu'ils mouraient d'envie de faire l'amour.

La proximité de la salle de télévision n'aidait pas non plus. Un soir, alors que Shane et Celia s'étaient organisé un dîner aux chandelles, tout le reste de la famille, y compris les Vanderling, s'était réuni pour regarder un documentaire sur le Korosol. La voix du commentateur était audible jusque dans la cuisine.

« Ce petit royaume européen existe depuis plus de huit cents ans, et a survécu aux soubresauts qui ont fait vaciller plusieurs autres grandes nations... »

— Tu sais à quoi ça me fait penser ? demanda Shane en reposant sa fourchette.

— Aucune idée.

— Quand j'avais dix-neuf ans, j'ai emmené une fille sur laquelle j'avais des vues à l'un de ces dîners gratuits où, en contrepartie, tu dois subir tout un discours sur je ne sais quelle organisation pyramidale. Chaque fois que nous essayions d'avoir une conversation, l'un des types de notre table la faisait dériver et nous vantait les mérites de son organisation, et les possibilités d'enrichissement rapide.

« Le palais royal est situé dans une vallée protégée, à dix kilomètres au nord de Korosol la Vella. »

— J'espère que ta cavalière avait le sens de l'humour.

— Je ne l'avais pas vraiment prévenue. Quand elle a compris ce qui se passait, elle m'a planté là.

— Qu'est-ce que tu as fait ?

— Pour me dépêtrer des organisateurs, je leur ai raconté que j'avais appartenu à d'autres organisations du même type et que j'avais à chaque fois fini en procès contre elles. C'est tout juste s'ils ne m'ont pas payé le taxi pour se débarrasser de moi.

« La laine est l'une des ressources majeures du Korosol. Cependant, le tourisme reste sa principale source de revenus… »

— Je n'ai plus faim, soupira-t-elle. Je ne vois pas comment je pourrais manger avec tout ce vacarme.

— Nous sommes assiégés de toutes parts. Les journalistes à l'extérieur, ta famille à l'intérieur…

Shane avait raison. L'unique fois où ils s'étaient aventurés sur le balcon, une femme avait crié « Je les vois ! La princesse et son mari ! » dans un mégaphone. Une autre fois où Celia avait négligé de fermer ses volets, un paparazzi avait pris des photos depuis un immeuble voisin. Un garde royal avait heureusement pu le rattraper et exposer « accidentellement » son film à la lumière.

Les journaux qu'Hester déposait tous les matins devant sa porte accentuaient l'impression que Celia avait de vivre en état de siège. Krissy Katwell ne désarmait pas et publiait chaque jour des nouvelles fictives du couple princier, ainsi que des opinions de quidams sur le mariage. On pouvait ainsi lire des considérations aussi profondes que : « J'ai préféré la robe de la princesse Amelia à celle de la princesse Lucia » ou « lady Charlotte fait très jeune pour une future grand-mère ».

Celia avait espéré que la journaliste finirait par se lasser, mais elle abandonna tout espoir lorsque Krissy lança une nouvelle rubrique le jeudi suivant : « Dans l'attente du petit prince ». Le premier article évoquait l'impatience de tous les magasins prénuptiaux de la ville de recevoir le jeune couple. L'un d'entre eux proposait déjà le modèle « Landau Royal », avec lecteur de CD intégré. La ville tout entière semblait avoir perdu la tête.

Celia aurait aimé que Shane réitère sa demande de passer plus de temps avec elle. Malheureusement, il n'en fit rien. Il ne protesta même pas lorsque le roi les informa que le départ pour le Korosol était prévu le dimanche suivant.

Le vendredi, Hester frappa à la porte.

— Je voudrais savoir si tu as des affaires à nettoyer, dit-elle lorsque Celia ouvrit.

— Non, tout est déjà parti au pressing. Merci, Hester.

— Mais vous pourriez commencer les bagages, intervint Shane. Celia et moi pourrions en profiter pour descendre et rappeler au reste de la famille que nous sommes vivants.

— Ce n'est pas une mauvaise idée, en effet.

Tous deux descendirent donc et rejoignirent Easton, Amelia, Ellie et sir Harrison, qui discutaient dans le salon. La conversation se porta naturellement sur le départ pour le Korosol.

— Bien sûr, dit le souverain à Shane, vous êtes le bienvenu dans le royaume. Même si votre épouse sera très occupée.

— Elle a besoin de se reposer, rappela l'intéressé. Ne la surmenez pas.

— Je me suis chargé de tout. Elle sera suivie par le meilleur obstétricien du Korosol.

Shane fronça les sourcils.

— Vous voulez qu'elle accouche là-bas ?

— Naturellement. Le bébé étant l'héritier du trône, il est normal qu'il naisse au Korosol. Mais vous pourrez venir pour l'accouchement. Je pense d'ailleurs que c'est ce que le peuple attendra.

— Evidemment que je viendrai ! Mais les bébés n'arrivent pas toujours quand on les attend. J'aimerais que Celia revienne durant son septième mois. Nous avons des médecins parmi les meilleurs du monde et…

— Hors de question, coupa le roi. Je suis désolé, jeune homme, mais à partir de dimanche, la princesse Celia appartiendra au Korosol et à personne d'autre

Lorsque le roi employait ce ton, il n'y avait pas à discuter. Shane crispa la mâchoire mais resta silencieux.

Le samedi venu, la famille partit rendre visite à des parents de Charlotte à la campagne. Ils décollèrent tôt le matin dans l'hélicoptère royal, suivi d'un second appareil transportant un contingent de gardes. Celia aurait aimé les accompagner pour dire au revoir à ses cousins, mais la perspective de passer la journée seule avec Shane l'emporta.

— Que veux-tu faire aujourd'hui ? demanda-t-elle lorsqu'ils se furent douchés et habillés.

— Lâcher des ballons pleins d'eau sur les badauds depuis le balcon.

— Et à part ça ?

— A dire vrai, je me fais du souci pour la sécurité. Je crois que je vais descendre dire deux mots aux gardes.

— Pourquoi ?

Celia savait que son grand-père s'entretenait souvent avec sir Devon, mais elle préférait ne pas songer à tous les risques qu'elle encourait en tant que futur chef d'Etat. Et l'intrusion de Rademacher, quelques semaines plus tôt, avait prouvé que la sécurité n'était pas infaillible.

— Ce n'est pas une mauvaise idée, après tout. Je viens avec toi.

— Je doute que les gardes parleront librement en ta présence, dit Shane. Ton grand-père leur a sans doute laissé pour instruction de ne pas t'inquiéter.

Celia n'aimait guère être traitée comme une enfant, ni surprotégée, et elle le ferait savoir à sa garde sitôt qu'elle serait couronnée. En attendant, cependant, Shane avait raison.

— C'est bon, je t'attends là.

— Ferme les portes.

— D'accord.

Celia se sentait de plus en plus nerveuse, et son mari ajouta :

— Ne t'en fais pas. Je suis sûr que tout va bien. C'est juste une vérification de routine.

Sans Shane, l'appartement lui parut soudain vide et triste, comme ce cottage que les Carradine avaient loué le temps d'un été. Au moment du départ, Celia s'était aperçue qu'elle avait oublié sa poupée à l'intérieur et était revenue la chercher. Elle se rappelait encore l'écho lugubre des vastes pièces, leur atmosphère oppressante.

Ridicule, songea-t-elle brusquement. Elle, la future reine du Korosol, celle que l'on appelait le Barracuda chez DeLacey, allait se terrer dans sa chambre comme une souris dans son trou ? Jamais !

Avec détermination, elle ouvrit la porte et sortit dans le couloir. Elle s'arrêta presque aussitôt, car elle ne savait pas où aller. L'appartement lui parut étrangement calme. Elle avait supposé que le personnel domestique profiterait de l'absence de la famille pour faire le ménage, mais aucun bruit ne se faisait entendre.

Tout à coup, au bout du couloir, non loin de la chambre qu'occupait son grand-père, elle entendit le parquet grincer. Sa gorge se serra.

Elle attendit, le cœur battant, mais il n'y eut pas d'autre bruit. « Bon, fausse alerte », songea-t-elle. Et elle décida de descendre à la cuisine.

Il lui fallut pour cela emprunter l'escalier de service où Rademacher s'était caché, et elle ne put s'empêcher de frissonner. C'était d'autant plus stupide qu'elle n'avait jamais eu peur chez elle. De plus, elle avait pris des cours d'autodéfense sur l'insistance de sa mère. Elle ne risquait rien.

Tout était impeccablement rangé dans la cuisine. Manquait seulement Bernice et ses joues rouges devant les fourneaux. La cuisinière prenait en général son congé le lundi, mais elle avait peut-être profité du départ de toute la famille pour aller rendre visite à sa fille.

Bon, elle avait en tout cas prouvé qu'elle n'était pas une lâche, se dit Celia. Elle pouvait regagner sa chambre en toute tranquillité.

Mais son cœur battait de nouveau la chamade lorsqu'elle regagna le deuxième étage, et son pas s'était accéléré sans qu'elle en eût conscience.

Des bruits de pas la firent sursauter. Elle se retourna et aperçut Shane qui se précipitait vers elle.

— Qu'est-ce que tu fais hors de ta chambre ? Oh, peu importe. Nous devons partir.

— Quoi ? Mais pourquoi ?

Sous-entendait-il qu'elle était en danger ? Ici, dans sa propre maison ?

— Il n'y a plus un seul garde. L'appartement est ouvert à tous vents. La Garde a dû être soudoyée ou trompée, je l'ignore. Toujours est-il qu'il faut partir au plus vite.

Celia ravala une bouffée de panique.

— Où allons-nous ?

— Prenons les valises. Il se pourrait que nous devions rester cachés pendant un ou deux jours.

Elle ne protesta pas et lui emboîta le pas. Ils fermèrent leurs valises, puis empruntèrent l'escalier de secours qui menait au toit.

— J'ai appelé l'un de mes hélicoptères, expliqua Shane.

— Dieu merci, murmura-t-elle, espérant que le pilote allait se dépêcher.

Elle détestait la peur qui lui serrait le cœur, mais ne pouvait l'ignorer pour autant. Elle avait hâte de fuir.

Où étaient passés les gardes ? Tous étaient profondément loyaux, du moins le croyait-elle, et elle espérait qu'il ne leur était rien arrivé.

Peut-être était-ce une erreur. Peut-être croyaient-ils que la famille tout entière était partie. Mais cela n'expliquait pas les portes ouvertes. Sir Devon Montcalm ne semblait pas le genre d'homme à faire un oubli aussi grave.

Un bruit de rotor accéléra son rythme cardiaque. L'espace d'un instant, les reflets du soleil sur la carlingue dissimulèrent le logo sur les portes de l'appareil qui approchait. Et s'il s'agissait de Markus ? Puis elle vit les lettres entrelacées OCI — symbole d'O'Connell Industries — et soupira d'aise.

Sur un signal de Shane, l'hélicoptère descendit. Une minute après, ils étaient à bord.

— Partons d'ici, ordonna Shane.

Le pilote acquiesça et remit les gaz. Un immense soulagement envahit Celia. Ils étaient en sécurité.

— Où allons-nous ? cria-t-elle pour couvrir le bruit du rotor, lorsque l'appareil plongea vers la ville.

— A l'aéroport. Je veux t'éloigner d'ici jusqu'à ce que nous ayons le fin mot de cette histoire.

Le roi serait fier de lui, songea-t-elle. Charlotte également. Et tous deux seraient horrifiés d'apprendre ce qui s'était passé.

— Je devrais peut-être aller directement au Korosol, suggéra-t-elle.

— Je ne crois pas que ce serait très sage. Et si ton cousin préparait un coup d'Etat ?

Un coup d'Etat dans un royaume aussi paisible ? C'était ridicule. Pourtant, si la propre Garde du roi était impliquée dans l'affaire, tout devenait possible…

Ils atterrirent peu de temps après sur un aéroport, dans une zone réservée aux appareils privés. La plupart des appareils au sol portaient le logo OCI.

— Dépêchons-nous, dit Shane en empoignant les valises. Je ne serai pas tranquille tant que nous n'aurons pas décollé.

Celia n'était guère habituée à suivre aveuglément les ordres de n'importe qui. A ceci près que cet homme n'était pas n'importe qui : il était son mari. Elle le suivit donc docilement jusqu'à un avion au fuselage gracieux, également frappé des trois lettres d'O'Connell Industries. Une volée de marches mobiles donnait accès à l'intérieur.

La cabine était luxueusement meublée de sièges en cuir, de plusieurs ordinateurs, d'un écran de télévision plat et d'un bar.

— Presque aussi beau que le jet privé de DeLacey, plaisanta Celia.

— Plus beau, répondit Shane avec un sourire. Il est plus grand, et j'ai dessiné l'intérieur moi-même.

Le plancher se mit à vibrer, et le souffle rauque des réacteurs se fit entendre.

— Le pilote sait que nous sommes à bord, je suppose ?

— En effet, répondit une voix familière.

Ed Ferguson sortit de la cabine de pilotage et ajouta, un sourire aux lèvres :

— Nous décollerons dès que j'aurai fermé la porte.

Celia fronça les sourcils, déroutée. Comment Ferguson avait-il pu arriver si rapidement ? D'autant plus qu'il était censé être en vacances.

— J'espère que ça ne te dérange pas, fit Shane. J'ai pensé que nous pourrions avoir besoin de compagnie. Et puis, l'avion est assez grand pour tout le monde.

— Tu veux dire, Ferguson et nous ?

— Ainsi que ta secrétaire et sa fille. Je me suis dit que quelques jours en Californie leur ferait plaisir.

L'annonce de leur destination ne la surprit pas. DeLacey avait en effet des bureaux sur la côte Ouest, il n'était donc pas anormal qu'ils s'y rendissent. En revanche, comment Ed et Linzy avaient-ils pu s'organiser si rapidement ? Après tout, c'était un départ en catastrophe !

A moins que… Celia fronça les sourcils, prise d'un affreux doute. A moins que Shane n'ait menti, et inventé les moindres détails de ce scénario. Il lui suffisait d'avoir renvoyé les domestiques. Quant aux gardes, ils pouvaient parfaitement se trouver à leur poste. Elle n'avait que la parole de Shane pour attester du contraire et n'avait pas songé à la mettre en doute.

A présent, elle comprenait… Les gardes n'avaient jamais quitté leur place — pas plus que les portes n'avaient été ouvertes. Elle avait gobé l'histoire de Shane sans se poser de questions.

Une petite fille arriva en courant de l'arrière de l'appareil. C'était Betsy, suivie de sa mère, Linzy.

— Bonjour, mademoiselle Carradine. Je veux dire, madame O'Connell. Nous pouvons nous joindre à vous ?

— Bien sûr, répondit Celia, toujours préoccupée par la trahison de son mari.

Il l'avait kidnappée. Et elle s'était laissé faire comme une enfant.

— Attachez vos ceintures, ordonna Shane.

Quelques instants plus tard, l'appareil s'arrachait à la piste…

Elle était piégée.

# 11.

Shane savait qu'il aurait dû avoir honte de lui. Il était évident qu'il avait fait peur à Celia, même si elle n'en montrait rien. Pourtant, au lieu d'éprouver le moindre remords, il jubilait. Il était parvenu à l'arracher à son grand-père... Dieu merci, les plans de la famille avaient facilité les siens.

La présence d'Ed Ferguson et de Linzy relevait à la fois de la générosité et du calcul. Il savait en effet que Celia se sentirait rassurée par leur présence.

— Tout va bien ? demanda-t-il à sa femme, lorsque l'appareil se stabilisa enfin.

— Oh, à merveille, répondit-elle, sarcastique.

— Quelque chose ne va pas ? s'enquit Linzy.

— On m'a dit qu'il y avait un problème, expliqua Celia. Normalement, je suis supposée partir demain au Korosol.

— Vous voulez dire... que ce voyage n'était pas prévu ? reprit sa secrétaire d'un air inquiet.

— Pas vraiment, non.

— Mon Dieu, je suis désolée... Je pensais... Je me suis dit que c'était une excellente occasion d'emmener Betsy. J'ignorais que...

— Tout va bien, la rassura Celia. Vraiment.

— Maman, appela Betsy depuis son fauteuil. Tu peux me sortir mon livre de coloriage ?

134

— J'arrive, ma chérie. Si vous voulez bien m'excuser…

Linzy s'éloigna, et Celia leva vers Shane un regard noir.

— Venons-en au fait. Tu veux que nous nous disputions devant tout le monde, ou pouvons-nous parler dans un endroit plus discret ?

— Il n'y a pas d'endroit de ce genre, mentit l'intéressé, décidé à éviter la confrontation.

— Il y a une chambre à l'arrière.

— Elle est hantée, improvisa Shane.

— Par Markus et ses sbires, peut-être ?

— D'accord, j'ai un peu exagéré, mais j'étais vraiment inquiet pour toi. On ne sait pas ce dont ton cousin est capable.

— Un coup d'Etat au Korosol… Je n'arrive pas à croire que j'aie pu avaler une énormité pareille. Mon grand-père va sans doute s'imaginer que j'ai une part de responsabilité là-dedans.

— J'ai laissé un message sur son bureau, et un autre dans la chambre de ta mère. J'assume l'entière responsabilité de cette affaire.

— Mais je n'aurais pas dû te faire aussi aveuglément confiance.

— Si tu veux, nous pouvons laisser Linzy, Betsy et Ed en Californie, et revenir dès que l'avion aura refait le plein.

— Je ne remets pas les pieds dans cet avion. J'aurais trop peur de finir à Hawaii, si je te fais encore confiance.

Shane avait su dès le départ qu'il ne serait pas facile de convaincre la jeune femme du bien-fondé de ce voyage…

— Ecoute, ce ne sera pas la fin du monde si tu arrives une semaine plus tard au Korosol.

— Non, mais c'est extrêmement incorrect. Tu vas créer un incident diplomatique.

— Ce n'est pas grave, tu en vaux largement la peine.

— Tu es insupportable.

Mais Celia n'avait pu s'empêcher de sourire. Shane se détendit quelque peu.

— Allons, Celia, avoue-le : malgré tout le glamour entourant ce mariage, nous avons eu une lune de miel de seconde zone. Quel genre de couple passe sa lune de miel en famille ?

— Un couple qui tient ses promesses.

Ils se turent lorsque Ferguson apparut avec un plateau chargé de petits pâtés fourrés aux épinards, d'un bol de tarama et d'une assiette de pitas.

— Très appétissant, commenta Shane avec approbation.

Celia se servit une petite assiette, et Ed alla porter le reste à Linzy et Betsy.

— Ravi de voir que tu as encore un semblant d'appétit, reprit Shane comme son épouse mordait avidement dans un pâté.

— Shane, tu sais très bien que mes sentiments personnels n'ont rien à voir dans cette affaire.

— Je sais. C'est une question de devoir.

— Et de promesses à tenir.

Il acquiesça.

— Tu as raison, nous devrions aller parler dans un endroit plus intime.

Ils portèrent leurs assiettes dans la chambre et fermèrent la porte derrière eux. En avisant le grand lit, Shane songea un instant à laisser la nature faire les choses, mais il devait à Celia davantage que cela.

— Comme je te l'ai dit, reprit-il en s'asseyant, je pense que nous devons bâtir les fondations de notre mariage.

— Ce n'est pas en une semaine que nous allons y parvenir, dit-elle, prenant place en face de lui.

— Peut-être pas. Mais il y a un autre problème à considérer : celui de ton identité.

Elle le dévisagea comme s'il était devenu fou.

— Celui de mon identité ?

136

— Tu as toujours vécu dans un environnement ultra-protégé.

— Puis-je te rappeler que je dirige l'une des plus grosses sociétés de fret au monde ? Et que j'ai un MBA…

— C'est ce que tu as fait. Pas ce que tu es.

Shane avait bien conscience de s'engager en terrain miné. Mais il estimait qu'en tant qu'époux, il était autorisé à aborder tous les sujets.

— Tu comptes beaucoup pour moi, enchaîna-t-il. Tu es la personne la plus fascinante et la plus contradictoire que j'aie jamais rencontrée.

— Je suppose que c'est un compliment ? Merci, alors.

— Mais je suis sûr que tu n'as pas encore déployé tes ailes. Je t'ai observée. Tu as des liens très forts avec ta famille. Ce qui t'a empêchée de découvrir qui tu étais vraiment. Et une fois que tu seras au Korosol, il sera trop tard pour ça.

— Parce que tu es un expert sur le sujet ? riposta-t-elle. Ce n'est pas pour te rappeler que tu n'as pas de famille, mais ta situation n'est pas supérieure à la mienne.

Shane balaya l'objection d'un geste.

— Ce n'est pas une question de supériorité. Réfléchis, Celia. Quel genre de mariage voulais-tu ?

— Ça n'a pas d'importance.

— Si, ça en a.

— Ce que ma mère a organisé me convenait parfaitement.

— Bon, prenons la chose sous un autre angle. Quel genre de lune de miel veux-tu ?

— Shane, cette discussion ne mène à rien.

— Imaginons que ta mère décide de vendre DeLacey, et que pour une raison quelconque, tu ne deviennes pas reine. Que ferais-tu ?

— Trop de choses me viennent à l'esprit.

— Cite-m'en trois.

— Je ne peux pas faire ça sans réfléchir. C'est un séminaire de gestion de carrière ou une lune de miel ?

— Je veux te donner une chance de faire tes propres choix. Mon but n'est pas de te décourager d'être reine. Mais je veux que tu sois la reine Celia, pas la reine Easton par procuration.

— Je ne vois pas comment tu comptes faire ça en si peu de temps.

A parler franchement, Shane ne le savait pas davantage. Mais le jeu en valait la chandelle, et ils n'avaient rien à perdre.

— Il faut que tu rétablisses le contact avec celle que tu es vraiment, même si c'est par des moyens aussi simples que choisir ce que tu veux pour dîner, ou savoir si tu préfères le vin rouge au vin blanc. Et ce ne sera pas seulement bon pour notre mariage. Ça le sera pour le Korosol.

— Grand-père ne veut pas d'une reine rebelle. Je dois suivre ses instructions.

— Ton grand-père est âgé. Il ne sera pas toujours là. Et si quelque chose lui arrivait ? Et si tu te retrouvais sur le trône sans personne pour te guider ?

— Je me débrouillerais.

— Markus ne va pas abandonner la partie aussi aisément. Il va essayer de s'attirer les faveurs du peuple, ce qui lui sera d'autant plus facile que tu seras une nouvelle venue, alors que lui est déjà connu. Tu ne t'en sortiras que si tu peux affirmer ta personnalité en tant que reine.

— C'est la deuxième fois aujourd'hui que tu brandis Markus comme épouvantail. Ça fait beaucoup, tu ne crois pas ?

— Ecoute, réfléchis à tout ça. Si tu n'as pas changé d'avis à notre atterrissage, dans environ quatre heures, je te mets dans le premier vol commercial pour New York.

— Il y a un téléphone, ici ? Je voudrais prévenir ma famille.

— Inutile de les déranger pendant qu'ils rendent visite à tes cousins. Prends le temps de réfléchir.

Et il quitta la pièce, espérant qu'il ne venait pas de gâcher sa relation avec la femme qu'il aimait.

Shane avait un sacré culot ! Laisser supposer qu'elle n'était pas capable de penser par elle-même ! Qu'elle n'agissait qu'en fonction des exigences de sa famille !

Celia se tourna vers le hublot et regarda sans vraiment le voir le paysage qui défilait sous le ventre de l'appareil. Shane ne comprenait rien à sa situation, parce qu'il n'avait jamais eu à répondre de ses actes devant qui que ce soit d'autre que lui-même.

Dans la vie, il avait réussi tout seul, à la force du poignet. Et Celia savait que, dans le même contexte, elle aurait agi de façon comparable. Elle était cependant furieuse de constater que son mari faisait partie de ceux qui doutaient d'elle, qui attribuaient son succès professionnel à son nom et à ses relations.

Mais comme les minutes passaient, sa colère se dissipa quelque peu, et les questions de Shane revinrent la hanter. De quel genre de mariage aurait-elle voulu, si Charlotte n'avait pas tout organisé ? Et dans quel secteur aurait-elle voulu travailler si sa mère n'avait pas été P.-D.G. de DeLacey ?

Elle n'en savait rien. Elle n'avait jamais réfléchi à la chose, trop occupée à prendre la place que son père avait prématurément laissée vacante. Et lorsqu'elle avait éprouvé le moindre penchant ou instinct contraire à cette mission, elle l'avait farouchement repoussé. Même à présent qu'elle était enceinte, elle n'avait jamais vraiment songé à la maternité, à ce qui l'attendait lorsque l'enfant viendrait au monde.

La perspective de remonter dans un avion qui la ramènerait à New York, puis de repartir presque aussitôt au Korosol, lui sembla soudain insupportable. Shane lui offrait la liberté, une perspective diablement tentante. C'était une chose qu'elle n'avait plus goûtée depuis la mort de son père et, même si elle s'était imposé elle-même ces responsabilités, elles n'en étaient pas moins pesantes.

Pourrait-elle d'ailleurs vraiment y échapper plus d'un jour ou deux ? Sans doute pas. Alors, autant en profiter…

Cependant, elle était un peu furieuse de concéder une victoire si facile à Shane, surtout après la façon dont il s'était comporté. D'un autre côté, quel meilleur moyen de lui prouver qu'elle pouvait prendre ses propres décisions ?

En revenant dans le salon principal, elle trouva Shane à quatre pattes sur la moquette, Betsy à cheval sur son dos.

— Hue dada ! cria la petite fille.

— A mon tour, dit Ferguson.

— Je me cabre bien mieux que toi, rétorqua Shane en illustrant aussitôt la chose, au grand ravissement de Betsy.

— Mais mes hennissements sont bien plus réalistes.

— Hennis tant que tu veux. Betsy et moi n'avons pas fini notre promenade !

— Hue, cheval !

Linzy sourit à Celia, qui n'avait jamais vu sa secrétaire si à l'aise.

— J'espère qu'il y aura de l'avoine et du sucre là où nous allons, remarqua-t-elle. Votre fille va épuiser les chevaux.

Shane s'immobilisa, et leva les yeux vers elle.

— Ça veut dire que tu viens ?

— Je ne sais pas où nous allons, mais au point où j'en suis, il serait dommage de rebrousser chemin, non ?


Une limousine les attendait à l'aéroport de Long Beach. Après le froid de New York, Celia ne fut pas fâchée de découvrir un temps clair et chaud pour la saison.

Sitôt montée en voiture, elle sortit son téléphone portable et composa le numéro de Charlotte.

— Ils ne se sont sans doute pas encore aperçus de ta disparition, fit valoir Shane.

— Tant mieux.

Elle tomba sur la messagerie, prit une inspiration et annonça :

— Au cas où vous me cherchez, Shane m'a emmenée en vacances par surprise. J'ignorais tout de ce projet, mais à présent que j'y suis, je pense qu'il est dans l'intérêt du Korosol que nous ayons une véritable lune de miel. Je vous expliquerai tout quand je rentrerai.

Elle raccrocha puis, après une ultime hésitation, éteignit son téléphone. Un sentiment de jubilation inattendue l'envahit, comme si elle venait de couper les chaînes qui la retenaient prisonnière. C'était la première fois qu'elle s'opposait ouvertement à sa famille.

Une bouffée d'anxiété l'envahit à cette idée. Pouvait-elle abandonner ses responsabilités avec une telle désinvolture ? Et si le roi décidait qu'elle n'était pas apte à être reine ? Sa mère ne lui pardonnerait jamais !

Mais ce n'était que pour une semaine, se rappela-t-elle. Sa famille ne lui en voudrait sans doute pas pour une aussi insignifiante transgression.

Peu après, ils quittèrent l'autoroute et franchirent un pont bas qui enjambait une étendue d'eau.

— Où sommes-nous ? demanda Celia.

— A Newport Beach. Nous arrivons sur la péninsule de Balboa.

Betsy, occupée à montrer le paysage à ses poupées, annonça de sa voix flûtée :

— Je veux jouer sur la plage.

— Une autre fois, répondit Linzy. Nous avons des choses à faire.

Ainsi donc, sa secrétaire en savait plus qu'elle, songea Celia. Mais peu importait. Elle avait décidé de se laisser porter par les événements.

La limousine s'arrêta enfin dans une rue bordée d'élégantes maisons de bois. A en juger par les autres voitures garées là, il s'agissait d'un quartier extrêmement résidentiel.

Laissant le chauffeur s'occuper des bagages, Shane conduisit la petite troupe le long d'une travée de bois qui passait entre deux maisons. Ils débouchèrent de l'autre côté et Celia s'immobilisa, surprise par la vue.

Un petit port avait été aménagé dans une baie protégée et abritait toutes sortes de bateaux, de la barque au yacht en passant par le voilier. La côte était bordée de maisons qui disposaient de leur propre jetée. Un superbe yacht blanc était amarré à la plus proche. Un steward debout sur la passerelle leur fit signe lorsqu'ils approchèrent.

— Monsieur O'Connell ! Bienvenue à bord.

Celia jeta un coup d'œil au nom peint sur la coque : le *Morris*. C'était le nom, se rappela-t-elle, du mentor de Shane.

— Nous partons en croisière ? demanda-t-elle.

— Première étape : Catalina Island, l'informa son mari. Puis nous irons à San Diego. Et si nous avons le temps, nous pousserons jusqu'à Ensenada et Mexico.

— Je ne suis jamais allée à l'étranger, déclara Linzy. Heureusement que j'ai étudié l'espagnol à l'école.

Betsy leva sa poupée pour lui montrer la mer et déclara solennellement :

— Ne t'inquiète pas, Mary Anne, tu ne te noieras pas. Je te tiens bien.

— Nous n'avons pas de gilet de sauvetage pour ta poupée, dit le steward, mais nous en avons un à ta taille. Qu'est-ce que tu dirais d'un soda ?

142

Il n'en fallut pas plus à Betsy pour se précipiter à bord. Sa mère lui emboîta le pas, levant les yeux au ciel.

Celia monta à son tour, encore qu'avec plus de réticence. Elle savait d'expérience que si tout allait bien lorsqu'elle montait dans un bateau amarré, il en allait autrement sitôt qu'il prenait la mer. Elle était pourtant excitée à l'idée de sentir le vent du large lui fouetter le visage. Peut-être que la nouvelle Celia, qu'elle comptait découvrir dans la semaine à venir, n'était pas sensible au mal de mer ?

— C'est un véritable palace flottant, s'émerveilla Linzy, émergeant de la cabine. Vous avez vu l'intérieur, madame O'Connell ?

— Pas encore, non.

— Alors venez voir.

Celia suivit sa secrétaire, et dut reconnaître qu'elle n'avait pas exagéré. Shane n'avait pas rechigné à la dépense, et l'intérieur respirait le luxe et l'élégance. Les cabines, bien que de taille limitée, n'étaient pas sans évoquer les chambres d'un palace, avec leurs meubles à l'ancienne, leurs tableaux aux murs et leurs boiseries fleurant bon l'encaustique.

Sur le pont supérieur, elle fit la connaissance du capitaine et du skipper. Plusieurs stewards étaient déjà occupés à jouer avec Betsy et ses poupées. Il était évident que Linzy ne manquerait pas de baby-sitters durant la croisière.

— Je suppose que tu utilises ce bateau pour des séminaires ou des croisières avec ton personnel, dit-elle quand ils ressortirent pour assister à la manœuvre de départ.

— Bien sûr. C'est bon pour la productivité. Tous les mois, mes meilleurs employés ont droit à une croisière à Ensenada. Il m'arrive aussi de prêter le bateau à certains gros clients.

— Ton personnel new-yorkais en bénéficie également ?

— Absolument. Tu comptes parler affaires encore longtemps ?

Celia rougit, et ce n'était pas du fait du soleil qui brillait au-dessus de leurs têtes.

— Je ne peux pas m'en empêcher.

— Détends-toi. Fais confiance à ton instinct. Fais-toi plaisir.

— Et si…, commença Celia avant de se mordre la lèvre.

— Si quoi ?

— Si je prenais goût à ce nouveau mode de vie ? Si je ne pouvais plus m'en passer ?

— Tu crois vraiment que le barracuda peut se transformer en sirène ? Dans ce cas, je veux voir ça !

Les moteurs du bateau se mirent en marche, et une vibration courut sous leurs pieds. Avec un coup de corne de brume, le *Morris* s'éloigna du quai et se dirigea vers la sortie de l'anse.

Celia eut l'impression de laisser une partie de sa vie derrière elle. Mais, au moins, celui qui comptait le plus à ses yeux se trouvait à bord avec elle.

Elle se demandait malgré tout, non sans appréhension, dans quel état elle reviendrait de cette escapade…

# 12.

Au goût de Shane, il n'y avait qu'un seul problème avec le yacht. Il était trop peuplé.

Il n'avait pas songé un instant à ce détail lorsqu'il avait planifié cette escapade. En général, quand il partait en croisière, il aimait avoir de la compagnie. Cette fois, c'était différent. Il ne voulait pas devoir faire la conversation avec Ferguson, ou avec les stewards, ou discuter avec le cuisinier du menu du soir. Non, ce qu'il voulait, c'était entraîner sa femme dans une cabine, lui arracher ses vêtements et lui faire l'amour au gré du roulis.

— Tu es différent, ici, commenta Celia après l'avoir rejoint sur le pont.

— Tu veux dire que je suis plus bronzé ?

— Pas encore ! répondit-elle avec un rire plus cristallin et plus libre que jamais. Mais tu es superbe.

— Et toi, tu es la plus belle femme que j'aie jamais vue.

Il n'exagérait pas. Le soleil californien rendait Celia plus splendide encore, si c'était possible, que le jour de leur mariage. Il illuminait son teint de pêche et le jade de ses yeux. Elle paraissait également infiniment plus décontractée. C'était exactement ce qu'il avait espéré.

— Combien de temps crois-tu que nous devions rester dehors pour ne pas paraître discourtois ? demanda-t-il.

— Que veux-tu dire ?

Shane fronça les sourcils. Il peinait à croire qu'elle n'avait pas tout autant envie de faire l'amour que lui.

— Nous sommes encore en lune de miel, lui rappela-t-il.

— Oh, c'est vrai.

Celia prit une gorgée de soda-citron et ajouta :

— Attendons d'être sortis du port et nous verrons.

— Nous verrons quoi ?

Par l'entrebâillement du corsage de Celia, Shane entrevoyait la naissance de sa poitrine rebondie. Et cela ne faisait rien pour calmer ses ardeurs.

— Voilà mon idée, dit-il d'une voix tendue. Si nous descendons maintenant à la cabine…

— Ah, nous y sommes, coupa Celia en désignant la sortie du port. La mer a l'air agitée, tu ne trouves pas ?

— Pas vraiment, non.

Le bateau piqua légèrement du nez dans une vague, à cet instant, et il enchaîna :

— Tu as raison. Il y a un peu de houle. Le mieux, dans ce cas, c'est de s'allonger. De préférence avec moi.

Ferguson et Linzy les rejoignirent à cet instant.

— C'est fantastique ! s'exclama la secrétaire, visiblement ravie. Ce bateau est incroyable.

— J'ai toujours aimé le *Morris*, renchérit Ferguson. Mais jamais je n'en avais profité à ce point. Ce doit être la compagnie.

— En effet, dit Shane.

Les deux s'éloignèrent, et il les suivit un instant du regard. Ferguson paraissait beaucoup plus détendu qu'à l'accoutumée, et avait passé un bras affectueux autour de l'épaule de Linzy pour lui désigner quelque chose au large.

Puis Shane se retourna vers Celia et remarqua, dans la lueur du couchant, à quel point elle était pâle.

— Un bon bain de soleil ne te fera pas de mal demain.

— Nous sommes loin de Catalina ? demanda-t-elle sans paraître l'avoir entendu.

— Quelques heures à peine. Nous jetterons l'ancre là-bas et explorerons les environs. Nous n'aurons rien le temps de faire ce soir. Nous dînons dans une heure.

Celia déglutit visiblement, et tourna vers lui un regard crispé.

— Oh, et qu'y a-t-il au menu ?

— De la bisque de homard, des cœurs d'artichauts marinés aux champignons, suivis de…

— Des champignons ? Je ne crois pas que ce soit une très bonne idée.

Shane soupira. Apparemment, sa femme n'avait pas les mêmes préoccupations que lui.

— Tu sais, murmura-t-il, c'est formidable de faire l'amour dans un bateau, bercés par la houle.

— Nous… nous ne pourrions pas parler d'autre chose ? demanda-t-elle en agrippant la rambarde.

Elle inspira profondément.

— Cet air frais, c'est merveilleux…

Elle paraissait davantage préoccupée par la vue de l'horizon rougeoyant, et Shane capitula. Visiblement, Celia adorait la mer et voulait goûter chaque seconde de la croisière.

Il espérait juste qu'elle n'allait pas passer tout le voyage sur le pont…


Celia savait qu'elle aurait dû faire plus attention à ce que son mari lui disait. Mais la nausée qui lui soulevait l'estomac accaparait toute sa concentration.

Pourquoi diable avait-elle le mal de mer ? Quelle tare pour quelqu'un qui travaillait dans le secteur du fret ! Charlotte prétendait que si elle le voulait vraiment, elle pourrait dominer la chose. Apparemment, sa mère s'était trompée… En tout cas, lorsqu'elle-même serait reine, elle éviterait autant que possible de monter sur un bateau.

Elle tenta dans l'heure qui suivit d'oublier son malaise en marchant de long en large sur le pont. Elle but également un autre soda-citron, qui paraissait apaiser légèrement son mal au cœur. La mer coopéra en restant relativement calme.

Mais l'heure du dîner approchait et, avec la nuit, les flots se firent plus agités. Celia savait qu'elle ne pourrait rien avaler, et qu'il était temps d'avouer la vérité à Shane. Elle y répugnait cependant, persuadée qu'elle allait lui gâcher la croisière. Il avait l'air si heureux d'être à bord… Debout dans le poste de pilotage, les cheveux emmêlés par le vent, il évoquait un pirate des temps anciens.

Elle l'intercepta lorsqu'il quitta la cabine et l'entraîna sur le pont arrière.

— Je suis supposée affronter ce que je suis vraiment durant ce voyage, n'est-ce pas ?

— Absolument. Le bon comme le mauvais.

— Et je dois cesser de vouloir plaire aux autres, c'est ça ?

— Absolument. Si tu as quelque chose sur le cœur, n'hésite pas. Vide ton sac.

— Justement, je voudrais te dire que…

Le bateau piqua violemment du nez à cet instant, puis remonta presque aussitôt sur une vague.

— Youpi ! s'écria Shane, avec la joie d'un gamin dans les montagnes russes.

Les dernières résistances de Celia s'effondrèrent. Elle se pencha par-dessus la rambarde et rendit tout le contenu de son estomac. Elle resta ensuite immobile et haletante, tête baissée, osant à peine affronter Shane.

— Bien, je crois que ça résume le problème, fit la voix de son mari, tout près de son oreille. Pourquoi ne m'as-tu rien dit ?

148

— Les barracudas ne sont pas censés avoir le mal de mer, marmonna-t-elle.

— J'ai des médicaments à bord. Si tu en prends ce soir, ça ira mieux.

— Non, rien ne marche sur moi. En plus, je suis enceinte. Je ne crois pas que ce soit une très bonne idée de prendre quoi que ce soit.

— Attends-moi ici.

Shane s'éclipsa l'espace de quelques minutes. Une nouvelle série de vagues secouèrent le navire et Celia en profita pour renouveler sa performance. Lorsqu'elle se redressa, son mari était de retour. Apparemment, il avait de nouveau assisté au spectacle. Elle en fut mortifiée.

Le visage de Shane ne reflétait cependant ni dégoût, ni amusement. Juste une infinie tendresse.

— Le capitaine dit que nous sommes plus proches de Catalina que de Newport. Nous allons donc poursuivre notre route. Nous dormirons dans un hôtel du port, si tu veux.

— Non, une fois au port, ça ira mieux.

— Nous rentrerons par avion à Newport dès demain. Ed et Linzy continueront la croisière. Je pense qu'ils ne verront pas d'objection au fait d'avoir le bateau pour eux.

— Je t'ai déçu, soupira Celia.

— Tu plaisantes ? Rien ne m'excite plus qu'un nouveau défi. Je travaille déjà à un plan de remplacement.

— Mais où aller ? Si nous séjournons dans un hôtel, la presse va nous tomber dessus.

— Laisse-moi faire.

Celia acquiesça. En cet instant précis, elle ne voyait aucune objection à le laisser prendre les choses en main…

Shane aurait aimé pouvoir emmener Celia sur-le-champ. Mais il n'était pas facile d'obtenir un hélicoptère à moins d'appeler les secours en mer, et il n'y avait tout de même pas urgence à ce point.

Sa femme préféra rester sur le pont durant le dîner, et il l'y abandonna en comprenant que sa présence ne faisait qu'accentuer la culpabilité de Celia. Il mangea donc en compagnie d'Ed et de Linzy, puis passa l'heure qui suivit avec Betsy.

Cette dernière s'avéra bien plus étonnante qu'il l'avait imaginé. Ne connaissant rien aux enfants, il avait cru qu'une fillette de cinq ans n'était bonne qu'à pleurer, à faire des caprices ou diverses bêtises.

Mais Betsy, ainsi qu'il le découvrit, avait une personnalité affirmée et une imagination très fertile. Elle vivait dans un monde où les poupées parlaient, où les personnages de livres étaient aussi réels que les autres.

Elle lui lut « Le conte de Peter Lapin », reconnaissant certains mots, se souvenant d'autres et inventant le reste. Elle faisait de fréquentes digressions pour lui expliquer ce que pensait Peter et quelle nouvelle farce il avait en tête.

Il était stupéfiant qu'un bébé, en l'espace de cinq minuscules années, puisse se transformer en une véritable personne.

Lorsqu'il alla enfin retrouver Celia, il ne put s'empêcher de jeter un coup d'œil curieux à son ventre. Il lui sembla qu'il s'arrondissait. Le bébé rêvait-il déjà ? Percevait-il sa présence ?

— Qu'est-ce qui ne va pas ? demanda-t-elle en fronçant les sourcils. J'ai si mauvaise mine pour que tu me regardes comme ça ?

— Pas du tout. J'admirais ta nouvelle silhouette.

— Oh, non… Je grossis, c'est ça ?

— Tu es enceinte, Celia. Evidemment que tu grossis.

— Ma mère dit que ce n'est pas une raison pour se laisser aller. Je compte bien perdre tout ce que j'aurai gagné après l'accouchement.

150

— Tu devrais t'occuper de ta santé, et pas de ce que veut ta mère.

— Il n'y a pas qu'elle. Il y a Krissy Katwell aussi. Ça ne lui échappera pas. Une fois, Lucia s'est coupé les cheveux pour embêter maman. Krissy en a fait ses choux gras pendant deux semaines. A croire que Lucia avait tué quelqu'un.

— Ou qu'elle était tombée enceinte hors des liens sacrés du mariage, ironisa Shane.

— Je suis heureuse que ça me soit arrivé, déclara tranquillement Celia.

— Vraiment ? Ta vie serait pourtant beaucoup plus simple sans moi.

— Et plus ennuyeuse.

Shane sourit et regarda sa montre.

— Quoi ? Tu as un rendez-vous ?

— Non. Je dis que tu es sur ce bateau depuis deux heures et demie à peine et tu parles déjà comme une autre personne. Une personne qui sait ce qu'elle veut et qui ne fait pas de courbettes devant sa mère et son grand-père.

Celia eut un pâle sourire.

— Il me faudra bien revenir à la réalité, pourtant. J'ai des devoirs.

— Et tu as quelque chose d'autre. Moi.

— Pourtant, tu ne seras pas à mes côtés au Korosol.

— J'y serai en esprit.

— Shane…

— Ne nous préoccupons pas de ça pour l'instant. Je déclare le temps aboli. L'avenir n'existe pas.

— Le passé non plus ?

— Du passé, nous ne garderons que les bons moments.

Cela convenait parfaitement à Celia.

*
* *

151

Le lendemain, ils louèrent un Cessna au petit aéroport de Catalina pour rentrer à Newport. A la stupeur de Celia, Shane annonça qu'il prendrait lui-même les commandes.

— Tu sais piloter ce genre d'engin ?

— Oh, ça ne m'a pas l'air bien difficile. C'est comme une voiture avec des ailes, non ?

Celia se mit à rire. Ils s'installèrent dans le cockpit et, après un check-up complet, s'arrachèrent à la piste.

— Tu voles beaucoup ?

— Moins qu'avant, répondit Shane sans détacher son regard du panneau de contrôle. Au début, il m'arrivait souvent de remplacer un pilote malade.

— Tu dois être drôlement doué pour piloter un de ces avions cargos.

— Morris m'a très tôt payé des leçons. C'était un visionnaire.

Sous l'appareil, le Pacifique s'étendait à perte de vue. C'était un spectacle magnifique.

— Je suis contente de repartir, avoua soudain Celia. Et pas seulement parce que j'ai le mal de mer. Même si j'aime beaucoup Linzy et Ed, je me voyais mal passer toute ma lune de miel avec eux.

— Je comprends parfaitement ton point de vue.

Ils atterrirent peu de temps après à l'aéroport John Wayne de Newport. Là, Shane s'occupa de louer une voiture de tourisme.

— Pas de limousine, cette fois ? le taquina Celia.

— Je croyais que tu ne voulais pas être remarquée ?

— Comme si c'était possible.

Puis, réalisant que cela pouvait passer pour prétentieux, elle se hâta d'ajouter :

— Toute ma vie, même dans une ville aussi grande que New York, les gens m'ont montrée du doigt. Nous nous retrouvions sans le vouloir à la télé ou dans la presse people.

— Je ne crois pas que beaucoup de gens lisent ce genre de journaux, à Newport. Le niveau social est un peu trop élevé pour ça.

Celia n'en était guère convaincue. Jamais de sa vie elle ne s'était sentie libre dans un quelconque endroit.

— Nous verrons.

Comme elle n'était pas familière de la région, elle ne sut pas où ils allaient jusqu'au moment où ils franchirent le pont qui menait à la péninsule de Balboa.

— Nous retournons là-bas ?

— La maison sur le ponton m'appartient.

— Une maison…, soupira Celia, rêveuse. La dernière fois où j'ai vécu dans une maison, j'étais enfant. Mes parents louaient un cottage pour l'été.

Shane lui sourit mais ne fit aucun commentaire. Ils arrivèrent peu après et se garèrent dans la rue, à une centaine de mètres du ponton.

— Désolé, il n'y a pas de garage. Il va falloir marcher.

— Courir, tu veux dire.

— Pourquoi ? Nous sommes poursuivis ?

— Nous n'avons pas de gardes du corps, et n'importe qui pourrait nous sauter dessus.

— Personne ne nous sautera dessus. Arrête de t'en faire.

Une image se forma dans l'esprit de Celia. Elle se vit marcher main dans la main avec Shane, sur la plage, comme n'importe quel couple, dans le plus parfait anonymat.

Cela lui donna une idée.

— J'ai vu un petit supermarché en chemin. Je pourrais peut-être y acheter une couleur pour mes cheveux ?

— Laisse-moi deviner : ta mère t'a toujours interdit d'en faire, c'est ça ?

— C'est pour me déguiser ! commença-t-elle par protester. Bon, d'accord, j'avoue. J'aimerais savoir comment je suis en rousse.

— Pourquoi ne pas l'avoir dit plus tôt ? Cette semaine, nous agissons sur des coups de tête. Allons-y tout de suite !

Lorsqu'il avait acheté la maison, cinq ans plus tôt, Shane avait estimé qu'elle ferait une parfaite garçonnière avec ses pièces de petite taille mais lumineuses, qu'il avait décorées avec goût.

Mais il s'apercevait qu'il avait toujours manqué quelque chose à l'endroit : Celia. Sa seule présence et son énergie naturelle donnaient vie à la maison.

— Qu'est-ce que tu en penses ? demanda-t-elle en sortant de la salle de bains, et en s'essuyant les cheveux.

— Je ne sais pas, je ne vois pas bien.

Sans doute parce qu'il était trop occupé à regarder son corps superbe…

— C'est assez roux pour toi ? interrogea-t-elle en passant une brosse dans ses boucles fauve.

— Approche et je te le dirai.

— Nous ferions bien d'enlever les valises du lit alors…

Shane s'exécuta aussitôt, mais Celia lui échappa lorsqu'il voulut la prendre dans ses bras pour aller tirer les rideaux.

— On n'est jamais trop prudent…

— Au diable la prudence. Soyons animaux. Sauvages…

Il découvrit quelques instants plus tard à quel point Celia pouvait se montrer sauvage… Quelque chose s'était débloqué en elle.

Et avec un peu de chance, elle ne reviendrait pas en arrière…

# 13.

Celia attribua sa nouvelle personnalité à ses cheveux roux. Elle se sentait libre, sexy, audacieuse, en pleine possession de ses moyens.

Après avoir pris une longue – *très* longue – douche, ils découvrirent qu'il n'y avait rien à manger dans la maison. Ils sortirent donc et marchèrent le long du bord de mer jusqu'à une échoppe où ils s'achetèrent une friture de petits poissons.

En dépit d'une brise fraîche, le soleil avait attiré toute une foule de surfeurs et de baigneurs. Des enfants creusaient le sable et plusieurs bébés jouaient sur des serviettes près de leurs mères.

— Je n'avais jamais remarqué qu'il y avait tant d'enfants sur cette planète, commenta Shane tout en marchant.

Celia avait de la graisse plein les doigts, et un sourire ravi aux lèvres. Elle ne se rappelait pas avoir jamais ingéré autant de graisse en un seul repas. Charlotte serait sans doute furieuse de la voir manger une chose pareille.

— Ces poissons sont délicieux. Et moi non plus, je n'avais jamais vraiment fait attention aux enfants.

— Tu veux dire que tu n'étais pas gaga chaque fois qu'il y avait un bébé dans les environs ?

— Tu plaisantes ? Je suis un barracuda. Une chance que je n'en aie mangé aucun !

— Hmm, j'espère que la maternité va te transformer.

— Je ne mordrai plus de bébés, promit Celia.

Shane se mit à rire, croqua un morceau de poisson et demanda :

— Tu as pensé à des prénoms ?

— J'aimerais quelque chose de traditionnel.

— Tu veux dire quelque chose comme « Easton le Enième » ? grommela Shane.

— Mon arrière-grand-père s'appelait Cyrus. Mon oncle s'appelait Byrum et mon père Drake. J'ai également un oncle James.

— Encore vivant ?

— C'est le mouton noir de la famille.

— Pire que Markus ?

— Non. James se fiche totalement d'être roi. Mais je ne crois pas que ce soit une très bonne idée de nommer notre enfant comme lui, étant donné que mon grand-père ne l'apprécie pas vraiment.

— Et si c'est une fille ?

— Ma grand-mère s'appelait Cassandra. Les gens disent que je lui ressemble. Ou du moins, je lui ressemblais quand j'étais blonde.

A cet endroit, la plage était bordée de quelques boutiques spécialisées en accessoires nautiques. Celia s'arrêta soudain devant un magasin de maillots de bain, et désigna plusieurs modèles de bikinis dans la vitrine.

— Je veux ça.

— Caprice de femme enceinte ?

— Disons que si je ne les porte pas maintenant, je n'en mettrai jamais. Je serai bientôt grosse comme une baleine.

Une jeune femme les accueillit lorsqu'ils entrèrent dans la boutique, et ne sembla pas les reconnaître.

— Je peux vous aider ?

— Je voudrais essayer quelques bikinis.

— Par ici…

156

La cabine d'essayage était une simple alcôve fermée par un rideau qui ne cachait ni la tête, ni les pieds. Rien à voir, songea Celia, avec le salon de Yuki Yamazaki. La vendeuse s'était replongée dans la lecture d'un *Surf Magazine* écorné, et ne semblait pas se préoccuper d'eux.

Celia découvrit avec soulagement que ses nouvelles formes lui permettaient encore de porter des bikinis. La grossesse avait légèrement arrondi ses hanches, mais elle n'était pas mécontente de l'effet produit. Cela lui donnait un corps plus sensuel, moins anguleux.

Trois des bikinis lui plurent, et elle les acheta sans hésiter. La vendeuse les mit dans un petit sac avant de retourner à son magazine.

— Je devrais peut-être en mettre un maintenant, dit Celia lorsqu'ils furent sortis.

— Pas en public, répondit aussitôt Shane.

— Pardon ?

Il rougit légèrement et reprit :

— Tu peux les porter sur notre ponton privé.

— Mais des bateaux passent par là, le taquina-t-elle.

— Si des gens regardent, j'achèterai un canon à eau et je leur ferai prendre une douche froide, gronda-t-il.

Sur le chemin du retour, Celia s'arrêta de nouveau pour acheter des sandales et un paréo. Elle eut un pincement de culpabilité en songeant que sa mère et son grand-père devaient avoir découvert son absence, et qu'ils étaient sans doute furieux.

Mais elle avait réussi à ne pas penser à eux une seule fois en vingt-quatre heures, et comptait bien battre ce record au cours des jours à venir.


Celia et Shane ne s'ennuyèrent pas une seconde dans la semaine qui suivit. Il y avait toujours un endroit à visiter, un café où s'arrêter, un bar où écouter de la musique.

Personne ne cria leur nom, personne ne leur braqua de flashes dans les yeux, nul ne parut les reconnaître. Et pour la première fois de sa vie, Celia fut libre d'observer les autres. Elle remarqua essentiellement les enfants, et le bonheur qui se lisait sur le visage de leurs parents. Elle imaginait avec émotion celui qui grandissait en son sein, ses traits qui se formaient, ses premiers rêves…

— J'ai réalisé que je n'étais pas fan du nom Cassandra, déclara Shane un après-midi qu'ils lézardaient sur le ponton, allongés dans des chaises longues.

— Pourquoi pas ?

— C'est un peu trop classique pour un enfant.

— Nous pourrions l'appeler Sandra.

— Non, merci. J'aimerais que ma fille ait un nom qui lui soit propre, et pas un nom d'occasion. Qu'est-ce qui te plaît, à part ceux de ta famille ?

Non sans surprise, Celia constata qu'elle n'avait jamais vraiment réfléchi à la chose.

— J'aime Elizabeth. Et Bertrand.

— Bertrand ?

— Tu ne trouves pas ça mignon ? « Bertie, viens ici ! »

Shane manqua s'étrangler.

— Mon fils ne s'appellera pas Bertie ! Si nous devons lui donner un prénom bizarre, je vote pour Morris.

— Euh, sans vouloir te vexer…

— Le roi Morris. Ça sonne bien, non ?

— Quel était le nom de ton père ?

— Rory.

— Rory Drake Carradine, énonça Celia. C'est pas mal… Et puis, il porterait les noms de ses deux grands-pères.

— Très bien. Et Elizabeth si c'est une fille.

— Marché conclu !

Celia se radossa à sa chaise et regarda avec envie un couple qui passait non loin de là, sur la plage, avec ses trois enfants. Leur fils ou leur fille connaîtrait-il la même liberté ? Sans doute pas. Il grandirait sous l'œil des médias, plus encore qu'elle-même et ses sœurs.

Mais il y aurait des compensations, se dit-elle pour se rassurer. Comme la satisfaction d'être le futur roi ou la future reine de son pays. Les visites de Shane. Et l'amour d'Easton pour lui ou pour elle.

Easton qui, hélas, ne serait pas toujours là…

L'avertissement de son mari lui revint en mémoire. Elle ne s'imaginait pas diriger le Korosol sans le soutien du roi, avec Markus qui ne manquerait pas de comploter contre elle.

Mais il était inutile de s'inquiéter. Elle allait être reine du Korosol, point à la ligne.


Shane ouvrit les yeux et réalisa qu'il faisait nuit. Il lui fallut quelques instants pour constater qu'il était au lit, et que le réveil posé sur la table de chevet indiquait 4 h 30.

Et que quelqu'un était en train de le secouer.

— Qu'est-ce qu'il y a ?

— Nous allons prendre notre petit déjeuner sur la plage et regarder le soleil se lever, annonça Celia avec excitation.

— Qui a eu cette idée ?

Il se retint d'ajouter « stupide ».

— Debout, paresseux !

Celia rejeta les couvertures en arrière, et Shane sentit l'air frais du matin l'envelopper. C'était l'acte le plus agressif jamais perpétré contre lui depuis son adolescence. Une chance pour Celia qu'il ne fût pas encore en état de bouger.

Il chercha une repartie féroce, et ne trouva rien de mieux que « Va-t'en ».

S'il n'avait aucun problème pour se lever tôt à New York, ici, il aimait faire la grasse matinée !

— J'ai envie d'un somptueux petit déjeuner. Nous avons des muffins, des œufs, du cheddar…

Son estomac émit un grognement traître. Comment pouvait-il avoir faim après un tel réveil ?

— Ne compte pas sur moi pour faire tout le travail, renchérit-elle. Et j'ai l'intention de prendre une longue douche. Alors si tu ne te dépêches pas, tu n'auras pas d'eau chaude.

La taille réduite du ballon d'eau chaude avait été le seul point noir d'un séjour idyllique, et la menace d'une douche froide acheva de réveiller Shane.

— Mais qui t'a invitée pour ces vacances ? bougonna-t-il en se redressant.

— Je n'ai pas été invitée. On m'a kidnappée.

Et Celia disparut dans la salle de bains. Marmonnant des imprécations à faire rougir un corps de garde, Shane se leva péniblement et la rejoignit. La pièce était déjà envahie de vapeur.

Une bonne douche accompagnée d'un massage améliora singulièrement son humeur. Lorsqu'ils sortirent enfin, le monde s'éveillait. Quelques pêcheurs s'étaient installés sur une jetée, les premiers surfeurs affrontaient déjà les vagues.

— On s'installe ici ? fit Celia en s'arrêtant au beau milieu de la plage.

— Ici ou ailleurs, c'est pareil, fit Shane, qui se refusait à admettre que cette sortie était une excellente idée.

— Tu es bougon, le matin. Mais tu es adorable.

— Je n'aime pas être adorable, riposta-t-il, boudeur. On mange, maintenant ?

Il faisait encore froid et humide, et leurs sandwiches l'étaient sans doute également. Mais tout à coup, il s'en moquait. Cette femme le réchauffait, le stimulait, l'excitait. Elle était aussi forte et têtue que lui, et c'était bien la première fois de sa vie amoureuse qu'il ne dominait pas sa partenaire. De fait, il était bien trop occupé à veiller à ce qu'*elle* ne lui marche pas sur les pieds.

L'horizon s'éclaircit pendant qu'ils entamaient le petit déjeuner. La nature et la ville tout entière paraissaient s'éveiller, les premiers goélands crièrent, un bruit de circulation lointaine leur parvint, et une odeur de bacon frit vint leur chatouiller les narines.

— C'est une véritable symphonie des sens, fit Shane avec un soupir.

Car il lui était impossible de le nier plus longtemps. Chaque minute passée avec Celia était un pur instant de bonheur.

« Je ne veux pas la laisser partir. »

L'idée s'était imposée à lui de manière si intense qu'il se demanda un instant s'il ne l'avait pas formulée à voix haute. Mais Celia continuait à manger en regardant la mer, et il en déduisit que non.

Initialement, il avait cru qu'il se satisferait d'une semaine avec elle, puis qu'il se contenterait de la revoir peu avant la naissance de l'enfant. Mais chaque jour passé avec Celia lui donnait envie de prolonger ce séjour, encore et encore. Il aurait voulu ne jamais revenir à la réalité, à l'inévitable moment de la séparation. Ce qu'il souhaitait, c'était voir son ventre s'arrondir, l'accompagner à ces cours de respiration ridicules qu'il avait vus à la télévision.

Il y avait tant de femmes au monde, et il était tombé amoureux de celle qu'il ne fallait pas. Ou qui lui convenait trop bien, d'une certaine façon. Mais il avait fait une promesse sur laquelle il ne pouvait pas revenir. Et il savait que Celia était bien trop droite et honnête pour renoncer à ses responsabilités.

Son humeur s'assombrit à cette idée, et il comprit qu'il ferait bien de se préparer dès maintenant à la laisser partir. En trente-deux ans, il avait perdu chacune des personnes qu'il avait aimées : ses parents d'abord, puis Morris. Cette fois, il devait faire machine arrière avant qu'il ne soit trop tard. Il avait eu une vie avant Celia, et il en aurait une après.

Mais en attendant, il était résolu à tirer tout le bonheur possible des quelques jours qui lui restaient à passer avec elle.

— J'en ai assez de trouver du sable dans ma nourriture, déclara Celia quelques jours plus tard. Ce soir, nous allons au restaurant.

— Excellente idée, répondit Shane depuis sa chaise longue. Malheureusement, ça ne va pas être possible pour moi.

— Comment ça, pas possible ?

— Le gouverneur est à Los Angeles, ce soir, pour discuter avec les grands chefs d'industrie de la hausse des prix du pétrole en Californie. Il est important que je sois là.

Celia voulut protester, comme n'importe quelle épouse qui veut passer davantage de temps avec son mari. A ceci près qu'elle n'était pas n'importe quelle épouse…

Elle réalisait que c'était leur dernière nuit seuls avant long-temps. Mais elle avait entendu le matin même la nouvelle de la hausse des prix du pétrole, et comprenait ses répercussions sur l'industrie du fret.

— Je viens, alors.

— J'apprécie ta sollicitude, mais je crois que tu es un peu trop célèbre, ces derniers temps.

— Parce que toi, tu ne l'es pas ?

— La plupart des participants seront des hommes. Ma présence ne les excitera pas spécialement. Toi, c'est différent.

Celia se renfrogna.

— C'est ce que les gens m'ont dit toute ma vie. Personne ne prend une blonde au sérieux, surtout si elle n'est pas trop laide. Sache que je ne suis pas une potiche.

— Je n'ai jamais dit ça. Mais le gouverneur va faire le coq en ta présence, il voudra poser avec toi pour les journalistes, et je ne voudrais pas que quoi que ce soit vienne le distraire de l'ordre du jour.

Elle fut tentée de protester. Puis elle se rappela qu'en tant que future reine du Korosol, elle n'était plus une femme d'affaires. Elle n'avait donc pas de raison de prendre part à cette réunion. Ce d'autant plus que la hausse des prix du pétrole en Californie n'avait que pratiquement pas de répercussion sur l'activité de DeLacey, basée sur la côte Est.

— Bon, d'accord, vas-y sans moi.

Ils avaient encore la journée du lendemain. Et peut-être une autre nuit à New York avant qu'elle ne s'envole pour le Korosol.

— Quand dois-tu aller à cette réception ?

— Dès que je me serai douché. Crois-moi, je préférerais passer la soirée avec toi.

Celia joua le rôle de la parfaite épouse, aidant Shane à nouer sa cravate lorsqu'il s'habilla, chassant une peluche de son costume et remettant une mèche en place sur son front. Elle adorait avoir ces prétextes pour le toucher.

Puis, après un fugace baiser, il partit. Celia n'aimait pas rester seule, avec la vague impression de ne servir à rien, d'être désœuvrée.

Elle essaya de lire mais se lassa rapidement. Abandonnant son roman, elle se décida à sortir et alla acheter quelques plats chinois à emporter. De retour à la maison, elle alluma la télévision et regarda distraitement un jeu télévisé tout en mangeant. Ce n'était sûrement pas ainsi que Krissy Katwell s'imaginait une lune de miel princière...

Shane lui manquait. Et le fait de le savoir au cœur de l'action, en compagnie d'hommes de pouvoir, n'arrangeait pas son humeur. Elle aurait voulu être à ses côtés, l'aider, le soutenir, débattre avec lui de la politique énergétique du gouvernement californien.

Elle songea qu'au Korosol, elle serait dans la même position que le gouverneur que Shane allait rencontrer. Les gens viendraient à elle pour résoudre leurs problèmes. Et si elle n'y parvenait pas, elle encourrait le mépris de son peuple. Or, à la différence d'un élu, elle ne serait pas en poste pour quatre ou huit ans seulement, mais pour toujours. Et contrairement à un homme politique, elle n'avait jamais eu l'ambition de diriger un pays.

163

Celia se figea, une fourchetée de bœuf au basilic suspendue devant sa bouche. Si elle acceptait de succéder à son grand-père, elle allait se trouver enfermée dans un rôle pour lequel elle n'était pas taillée, et qu'elle en viendrait à détester. Elle ne rendrait service ni au Korosol, ni à son grand-père.

Il ne suffisait pas d'avoir un MBA et le sens du devoir pour devenir reine. Elle n'était pas davantage faite pour cette fonction que Lucia pour diriger DeLacey. Son grand-père avait exprimé le souhait de l'évaluer pendant quelque temps : peut-être que ce qu'il avait voulu dire, c'était qu'elle devait plonger en elle-même et examiner ses propres intentions.

Ce qu'elle venait de faire. Avec la conclusion qu'elle n'était pas taillée pour être reine. Le roi la comprendrait certainement et Charlotte aussi, même si ce serait plus difficile.

Peut-être qu'Easton choisirait Amelia à sa place. Sa sœur s'était illustrée dans le domaine caritatif par son sens de l'organisation, de la décision, et son constant souci du bien-être d'autrui.

Une vague de soulagement balaya bien vite la culpabilité de Celia. Elle pourrait rester à New York et continuer de veiller sur DeLacey. Certes, son mariage avec Shane ne serait pas un long fleuve tranquille, tous deux ayant d'énormes responsabilités. Mais leurs enfants grandiraient dans une famille normale, avec l'amour de leurs deux parents.

La chose était somme toute banale mais, pour Celia, cela relevait du miracle.

Elle brûlait désormais d'envie d'annoncer la merveilleuse nouvelle à l'homme qu'elle aimait…

Shane rentra à Newport à minuit, irritable et fatigué. Et il se sentait tout aussi irritable et fatigué lorsqu'il s'éveilla, le lendemain matin.

Nombre de ses collègues étaient présents à Los Angeles, et certains l'avaient taquiné au sujet de son mariage avec une princesse, l'appelant « Votre Majesté » et le traitant comme s'il jouait à être un homme d'affaires.

Pour couronner le tout, il n'avait pas tardé à constater que les décisions du gouverneur allaient dans le sens de son intérêt politique et n'étaient pas motivées, comme il l'avait espéré, par un minimum de pragmatisme. Les prétendues solutions qu'il avait proposées offraient un répit de court terme mais ne s'attaquaient pas aux sources du problème.

Pourtant, lorsque Shane avait exprimé cet avis, peu de voix s'étaient élevées pour le soutenir. Que se passait-il ? Les autres ne voyaient-ils plus où étaient leur intérêt ? Ou s'imaginaient-ils, comme certains l'avaient sous-entendu, qu'il avait lui-même des ambitions politiques ?

Shane passa la moitié de la nuit à fulminer, ne s'endormant que par intermittence. Le samedi matin venu, il sut qu'il ne pouvait laisser la situation pourrir ainsi. Il devait réunir les quelques responsables qui partageaient son avis et faire front avec eux.

Il se tourna vers sa femme, encore endormie à ses côtés. Dommage que Celia ne puisse pas rester pour l'aider. Il appréciait son intelligence, son caractère visionnaire, ses idées.

Puis il exhala un long soupir. Qui croyait-il tromper ? Ce n'était pas pour des raisons professionnelles qu'il voulait garder Celia à ses côtés. C'était parce que, malgré toutes ses précautions, il était tombé éperdument amoureux d'elle. Il aurait voulu pouvoir la kidnapper de nouveau, l'emmener loin de sa famille et du Korosol. Il voulait l'entendre rire. Se réveiller près d'elle. La sentir se blottir contre lui la nuit, se perdre en elle, encore et encore.

Il ne se sentait pas le courage de rentrer avec elle à New York et de faire comme si tout allait pour le mieux dans le meilleur des mondes. Mieux valait qu'il reste en Californie. Plus la rupture serait abrupte, moins elle serait douloureuse.

Celia s'éveilla en entendant le bruit de la douche. Elle fut d'abord tout excitée à l'idée d'annoncer sa décision à Shane. Puis un peu déçue, car elle avait espéré qu'il lui ferait l'amour au saut du lit.

Lorsqu'il émergea de la salle de bains, Shane était vêtu d'un costume, comme s'il se rendait à son bureau.

— Qu'est-ce qui se passe ? demanda Celia.

— La situation est assez tendue. Il faut que je prenne des dispositions au plus vite.

Evidemment, elle aurait voulu pouvoir lui faire part de sa décision lors d'une conversation intime, et prendre son temps pour le faire. Ce n'était pas le genre de nouvelle que l'on annonçait brutalement au petit déjeuner.

— Ce n'est pas urgent au point tu ne puisses pas m'accorder une heure. A moins que tu ne préfères parler dans l'avion, ajouta-t-elle en le voyant se rembrunir.

— Je ne prends pas l'avion avec toi, Celia.

Il s'assit sur le bord du lit et ajouta d'un ton plus doux :

— Désolé, mais c'est la meilleure solution.

— Justement, non. J'ai beaucoup réfléchi hier soir. C'est de ça que je veux discuter.

— A moins que ça ne concerne la politique énergétique de l'Etat de Californie, je ne suis pas d'humeur à l'entendre. Je vais prendre mon petit déjeuner.

Celia lutta contre la colère qui montait en elle. Mais elle préférait éviter une dispute avant le départ de Shane, et le suivit sans mot dire jusqu'à la cuisine.

— Est-ce que tu pourrais faire du café ? demanda-t-il en versant des céréales dans deux bols. Ou est-ce trop exiger d'une reine ?

— Inutile d'être sarcastique.

— Désolé, soupira Shane. J'ai passé un sale quart d'heure hier.

Dans la lumière des premiers rayons du soleil, elle vit à quel point il avait l'air fatigué.

— A cause de moi ?

— Disons qu'il y a eu quelques allusions à notre mariage. Des gens m'ont demandé s'ils devaient faire la révérence quand j'entre dans une pièce. Ce genre de choses…

— C'est pour ça que tu m'évites ?

— Je ne t'évite pas, répondit-il en posant son regard sur un point éloigné de la pièce.

Jamais auparavant elle ne l'avait vu si lointain, si froid. Ces plaisanteries, la nuit dernière, avaient dû le toucher profondément.

Lorsque le café fut prêt, elle en servit deux tasses et prit place en face de Shane.

— Nous pouvons parler, maintenant ?

— Vas-y.

Elle n'avait pas ouvert la bouche que le téléphone de Shane sonnait. Celia fut tentée de lui arracher des mains pour l'éteindre, mais elle se contrôla.

— Bill ? fit Shane. Je suis content que tu appelles. Oui, c'était exactement ce que je me disais. Nous pourrions en discuter en déjeunant.

Celia fit de son mieux pour calmer son impatience. Dans la situation de Shane, elle savait qu'elle réagirait exactement comme lui. Mais il semblait pressé de se débarrasser d'elle, comme si cette semaine n'avait été qu'une parenthèse qu'il avait hâte de refermer.

Etait-il possible qu'elle se fût trompée sur son compte ? Méprise sur ses sentiments ? Elle repoussa aussitôt cette idée. Lorsqu'il aurait entendu ce qu'elle avait à dire, il serait sans doute aussi excité qu'elle.

A peine eut-il raccroché qu'il composa le numéro de son bureau, pour ordonner à sa secrétaire d'organiser diverses réunions au plus vite. Cette fois, Celia sentit sa patience s'effilocher. C'était samedi, et rien ne se passerait de toute façon avant le début de la semaine suivante.

Lorsqu'il en eut terminé, Shane regarda sa montre.

— Déjà si tard ?

— Si tard ? Il est à peine 9 heures.

— 9 h 15. Ton pilote t'attend pour midi. Un chauffeur viendra te chercher à 11 heures.

— Tu ne viens même pas à l'aéroport ?

Il se leva, et Celia le retint vivement par le poignet.

— Tu ne vas pas partir comme ça !

Surpris, Shane se rassit.

— Ecoute, Celia, nous avons passé une merveilleuse semaine, et j'y ai vraiment pris beaucoup de plaisir. Mais nous savions tous deux que ce serait temporaire.

A ces mots, elle sentit une boule se former dans sa gorge.

— Notre mariage n'est pas temporaire.

— Bien sûr que non. Ce n'est pas ce que je veux dire.

168

— Je sais que nous avons parlé d'un mariage de raison. Mais après ce que nous venons de partager, je veux plus que cela.

— Je serai là pour la naissance de l'enfant. Je te le promets.

Elle sentit, sous sa main, les muscles de Shane se contracter. Il était impatient de partir, c'était évident.

— J'ai besoin que tu m'accordes un peu de temps, dit-elle d'un ton presque suppliant.

— Non.

— Pardon ?

— Je ne peux pas.

L'espace d'un instant, elle crut lire une douleur fugace dans son regard, mais cette impression s'évanouit presque aussitôt.

— Tu ne comprends pas ce que j'essaie de te dire, renchérit-elle. Au début de la semaine, tu m'as persuadée que je devais entrer en contact avec mon moi profond, avec la personne que j'étais vraiment.

— C'est vrai, Celia, mais nous avons chacun notre route à suivre, à présent. Pourquoi parler de ça maintenant ?

— Parce que tu comptes beaucoup pour moi !

— Tu comptes également beaucoup pour moi. Mais ça ne change rien.

Elle le fixa, abasourdie. Apparemment, il avait le pouvoir de mettre fin à ses émotions comme on éteint une lumière, en appuyant simplement sur un bouton. La lune de miel était finie, la page tournée.

— Shane, je ne te comprends pas... Tu n'as pas envie d'essayer d'aller plus loin ?

— Je crois que nous sommes déjà allés assez loin. Je n'ai plus envie de jouer.

— Parce que c'est ce que nous faisons ? Nous jouons ?

— Si tu veux vraiment une réponse, c'est oui. Tu espères tout avoir dans la vie, parce tu es habituée à ça. Je suppose que tu me considères comme partie intégrante du package, mais je n'ai

169

personne pour me remplacer et je ne peux pas te suivre au Korosol juste parce que tu en as envie.

— Si tu la fermais une minute pour m'écouter ? s'emporta Celia.

— Navré de te le dire, mais tu agis en princesse trop gâtée. Il faut que j'y aille, à présent. Si je reste, nous finirons tous deux par dire des choses que nous allons regretter.

Il sortit de la cuisine. La porte d'entrée claqua derrière lui, et un silence de plomb s'installa dans la maison.

Sachant qu'il n'y avait personne pour la voir, Celia n'essaya même pas de retenir ses larmes et éclata en sanglots.


Shane frémit en se rappelant qu'il avait traité sa femme de « princesse trop gâtée ». Il n'avait pas eu l'intention de dire cela. Mais pourquoi l'avait-elle harcelé alors qu'il était déjà sur le point d'exploser ?

Elle avait semblé vouloir prolonger leur relation au-delà de l'échéance prévue, et il aurait dû s'en sentir flatté. Mais il ne pouvait l'accepter.

Sa fierté souffrait toujours des piques qu'il avait reçues la veille. « Moi aussi, je coucherais avec une princesse si je le pouvais. » « Eh, tout le monde, écoutez, Son Altesse a quelque chose à dire » !

La plupart des participants au dîner ne s'étaient pas, bien sûr, abaissés à ce petit jeu. Mais Shane était assez fier de s'être fait tout seul, à la force du poignet, pour avoir mal pris ces commentaires. Il détestait être considéré comme un parasite qui utilisait le mariage comme ascenseur social.

Et il n'avait aucune envie de devenir le caniche de Celia, qui accourrait lorsqu'elle claquerait des doigts dans un de ses rares moments de temps libre. Un mari et une femme s'appartenaient mutuellement, construisaient un foyer ensemble pour leurs enfants. Et ce n'était pas ce que Celia lui proposait.

Il savait qu'il avait été dur avec elle. Mais c'était sa santé mentale qui était en jeu, et il n'avait pas d'autre choix que partir.

Sans regarder en arrière.


Dans l'ascenseur qui la menait à l'appartement, Celia se demanda quel accueil lui réserverait sa famille. Sa mère devait être furieuse. Quant à son grand-père, il avait peut-être décidé de rentrer au Korosol sans elle.

Elle avait presque été surprise que les gardes, à l'entrée, la reconnaissent. Non que son bronzage ou sa nouvelle couleur de cheveux eussent changé à ce point son apparence. Mais elle-même se sentait tellement différente de la Celia qui avait quitté New York, une semaine plus tôt…

Elle entra dans la galerie principale et vit aussitôt Hester, postée sur la mezzanine telle une vigie. Sans doute à guetter son retour, puisqu'elle avait appelé de l'aéroport pour dire qu'elle arrivait.

— Elle est rentrée, tout le monde ! s'écria la gouvernante.

Sur ce, elle dévala l'escalier pour embrasser Celia. Quincy apparut peu après pour la décharger de sa valise. Ce fut ensuite le tour d'Amelia, suivie de Charlotte.

Les premiers mots de sa mère ne furent pas, comme elle s'y était attendue, pour lui reprocher d'avoir failli à son devoir ou à l'étiquette.

— Mais, ma fille, qu'est-ce que tu as fait à tes cheveux ?

— Et encore, tu aurais dû les voir il y a une semaine. J'étais rousse.

— Rassure-moi : ça s'en va au lavage, n'est-ce pas ?

— Je trouve ça super, dit Amelia.

Celia les embrassa toutes les deux, puis demanda avec appréhension :

— Où est grand-père ?

— Dans son bureau. J'espère que tu comptes t'excuser. Tu nous as causé beaucoup de soucis.

— Je suis désolée.

— Tu n'as pas à l'être, lui dit sa sœur. C'était ridicule, de vous forcer à passer votre lune de miel dans ta chambre.

— Je suppose que oui, concéda Charlotte, à la surprise de Celia. Bon, va parler à ton grand-père, à présent. Je n'ai aucune idée de ce qu'il compte te dire.

« Et je n'ai aucune idée de ce que je vais lui dire… », songea Celia.

Mais elle sourit courageusement et annonça :

— J'y vais.


Easton s'était endormi dans son fauteuil en parcourant son courrier. Cela lui arrivait de plus en plus fréquemment.

Lorsqu'il ouvrit les yeux, Cassandra se tenait sur le seuil. Etait-il mort dans son sommeil ? Etait-elle venue le chercher ? Il n'était pas prêt.

— Pas encore, dit-il.

— Je peux repasser plus tard, répondit l'apparition.

Il cligna des yeux. Les anges ne se teignaient pas les cheveux. Les dernières brumes du sommeil se dissipèrent et il reconnut sa petite-fille.

— Ah, Celia. Entre donc.

Elle obéit, et il remarqua une grâce toute nouvelle dans sa démarche et ses mouvements.

— Je suis désolée de t'avoir causé du souci, déclara-t-elle.

Il balaya sa remarque d'un geste.

— J'ai fait bon usage de mon temps. Quelques jours ne sont pas de trop pour renouer avec une famille que l'on a négligée pendant vingt ans. Ton mari est avec toi ?

— Non.

172

Il y avait une réelle tension dans ce simple mot, et Easton en fut surpris. L'amour grandissant du couple ne lui avait pas échappé, aussi n'avait-il guère été étonné d'apprendre qu'ils s'étaient enfuis.

— Je ne voulais pas placer une responsabilité trop lourde sur tes épaules, reprit-il. Mais à présent que tu as eu le temps de réfléchir, as-tu pris une décision ?

Les yeux de sa petite-fille s'emplirent aussitôt de larmes.

— Oh, grand-père, je ne suis pas faite pour être reine…

— Dis-moi ce qui s'est passé, au juste.

Elle inspira profondément et répondit d'une voix mal assurée :

— J'aime mon mari mais il ne m'aime pas. Pas comme je le voudrais, en tout cas.

— Une querelle d'amoureux ?

— Non, c'est plus grave. J'ai décidé que ma priorité, c'était mon mariage et notre enfant.

— Et M. O'Connell n'est pas d'accord ?

— Non…

— Je dois t'avouer qu'il me déçoit…

Quel genre d'homme pouvait refuser l'amour d'une femme si exceptionnelle, qui ressemblait tellement à sa Cassandra ?

— Eh bien, ma chère, qu'attends-tu de l'avenir, à présent ? Le trône est toujours disponible. Je n'ai pas changé d'avis.

— Je ne sais pas. Je ne sais plus. J'aurais dû plus m'intéresser au Korosol, à son histoire et à ses habitants au cours des dernières semaines. Au lieu de cela, je suis tombée amoureuse.

— Si ton mari te demandait de renoncer au trône, le ferais-tu ?

— Oui.

Elle avait répondu sans hésiter, avec franchise, et le roi sourit.

— Si tu es prête à y renoncer pour quelqu'un d'autre, tu peux également y renoncer pour toi. Je comprendrai.

— Ce n'est pas à moi que je pense. C'est à notre enfant. Et même si Shane et moi ne vivons pas ensemble, il pourra voir son fils ou sa fille beaucoup plus facilement, à New York.

Easton acquiesça. Celia s'animait lorsqu'elle parlait de son bébé et de son mari, et lui rappelait une nouvelle fois sa propre épouse.

— Celia, j'ai un conseil à te donner.

— Lequel ?

— Sois égoïste. Profite de chaque instant avec ton enfant. Couvre-le d'amour, consacre-toi à lui autant que tu le pourras. Sinon, dans quelques années, tu te lamenteras sur ce que tu as perdu, ou manqué. C'est ce qui arrive à beaucoup de mères.

Elle hocha la tête, un pâle sourire aux lèvres.

— Je comprends, grand-père.

— Tu aurais fait une reine exceptionnelle.

Il lui prit les mains, par-dessus la table, et dévisagea fièrement sa petite-fille.

— Tous mes vœux de bonheur t'accompagnent.

Il omit d'ajouter que cela n'arrivait pas qu'aux mères, de faire le point sur leur vie et de regretter de ne pas avoir passé plus de temps avec leur famille.

Cela arrivait aussi aux grands-pères.

# 15.

« Et d'un », songea Celia en redescendant. Elle se sentait légère comme une plume, mais il lui restait encore une personne à affronter, peut-être plus redoutable encore que les autres.

Charlotte se trouvait dans la bibliothèque, vêtue d'un peignoir de soie couleur lavande, et patientait en lisant le *New York Times*.

— Alors ? demanda-t-elle sitôt que Celia parut.

— Il a été merveilleux.

— Il n'est pas fâché ?

— Pas du tout.

— Donc, tu pars demain ! Non que je sois pressée, bien sûr, mais quel honneur !

— Je ne serai pas reine, fit doucement Celia.

Des émotions contradictoires passèrent sur le visage de sa mère.

— Tu as dit qu'il n'était pas en colère.

— Il m'a de nouveau offert le trône mais j'ai refusé. Je ne suis pas taillée pour ça.

Charlotte parut soulagée de pouvoir se concentrer sur une seule émotion : l'effroi.

— Mais qu'est-ce qui te prend ? C'est ton héritage !

— C'est pourquoi j'étais prête à l'accepter. Mais j'ai réfléchi. Ce n'est pas pour moi.

— Ne me dis pas que ton cœur appartient à Shane O'Connell et qu'il n'y a plus de place pour quoi que ce soit d'autre ! S'il est si amoureux de toi, pourquoi n'est-il pas venu affronter le roi en ta compagnie ?

— Parce que justement, il ne m'aime pas, répondit Celia, des larmes dans les yeux. Mais ce n'est pas le problème.

— Comment ça, il ne t'aime pas ? fit lady Charlotte d'un ton radouci. Je vais lui arracher les yeux !

Celia ne put s'empêcher de rire.

— Tu es comme une tigresse qui défend son petit. Et pourtant, il y a quelques instants, tu étais prête à me manger toute crue.

— Je le suis toujours. Tu ne peux pas refuser un tel honneur. Ce n'est pas dans ta nature.

— Comment le sais-tu, alors que je ne me connaissais pas moi-même avant cette semaine ? J'ai énormément changé.

— Allons, tu es peut-être un peu perturbée, c'est tout…

— Non. Durant toutes ces années, j'ai écouté la voix qui me murmurait de prendre la place de papa, de tenir son rôle. Mais ce n'était que la voix d'une petite fille de neuf ans désorientée d'avoir perdu son père. Je ne suis plus une enfant. Je vais être mère.

Charlotte la dévisagea d'un air curieux, puis demanda :

— Que veux-tu, au juste ?

— Passer du temps avec mon enfant, lui donner toutes les occasions de voir son père. Mais j'aimerais rester travailler à mi-temps chez DeLacey, si tu veux bien.

— Evidemment. Encore que je doive t'avouer ma surprise.

— Je suis désolée de t'avoir laissée tomber.

— Tu ne m'as pas laissée tomber. De mes trois filles, tu es sans doute celle qui me ressemble le plus. C'est pour ça que c'est à toi que j'en demande le plus.

— Tu n'es pas spécialement tendre avec Lucia…

— C'est parce qu'elle le cherche. Toi, au contraire, tu as toujours essayé de me satisfaire. C'est sans doute la raison pour laquelle je mets autant de pression sur tes épaules.

— Il faudra établir un autre rapport, désormais, déclara Celia d'un ton doux mais ferme. Je ne suis plus seulement ta fille.

— Tu es aussi une épouse qui va devenir mère, murmura Charlotte. Je respecte cela.

— Tu n'es pas fâchée, pour le Korosol ?

— Pourquoi le serais-je, si ton grand-père ne l'est pas ? Je suppose que c'est une merveilleuse opportunité pour Amelia…

Celia était ravie de s'en tirer à si bon compte, mais elle ne put s'empêcher de ressentir un pincement de compassion pour sa sœur.


Le roi était assis dans son bureau à l'ambassade lorsque Shane entra en coup de vent dans la pièce, suivi par un huissier affolé.

— Votre Majesté, j'ai tenté de l'en empê…

— Tout va bien, fit Easton avec un geste apaisant de la main. Vous pouvez nous laisser.

L'huissier se retira, et le roi sourit à Shane.

— Je savais que vous viendriez.

Shane se laissa tomber dans un fauteuil, épuisé. Il avait passé le trajet du retour à réfléchir, n'écoutant que d'une oreille distraite le récit des vacances d'Ed et Linzy, désormais inséparables.

Celia n'était partie que depuis quelques heures, et elle lui manquait déjà horriblement. Il lui semblait sentir son parfum partout, l'apercevoir à la moindre occasion, entendre sa voix en permanence. Mais chaque fois qu'il se retournait, le cœur battant, s'attendant à la voir paraître, il était seul. Désespérément seul. Même ses affaires ne l'intéressaient plus, et le fait d'avoir réussi à réunir un grand nombre d'hommes d'affaires et politiques influents sous sa bannière ne le réjouissait pas comme il s'y était attendu.

Il avait donc pris une décision.

— J'irai droit au but, dit-il au roi.

— Je vous en prie.

— Lors de notre première rencontre, vous avez mis mes motivations en doute. Vous avez laissé sous-entendre que je comptais utiliser Celia comme un moyen de monter en grade socialement.

— Ce n'était pas très fin de ma part, n'est-ce pas ?

Surpris par cette réponse, Shane faillit en perdre le fil de ses pensées. Il le retrouva après quelques secondes.

— Quoi qu'il en soit, je vous ai assuré alors et je vous assure de nouveau que ce n'est pas le cas.

— Je vous crois.

— Je suis venu vous dire que votre pays devrait m'accepter comme prince consort, parce que je n'ai pas l'intention d'abandonner ma femme et mon enfant.

— Je vois, répondit le roi, imperturbable.

— J'ai déjà des bureaux en Californie et à New York, et je peux très bien en ouvrir au Korosol. De toute façon, j'avais l'intention d'implanter des filiales en Europe.

— C'est une excellente idée. Dommage que votre femme ait renoncé au trône. Encore que je vous encourage, pour notre économie, à venir vous installer chez nous !

Shane ouvrit la bouche pour répondre, puis enregistra ce que le roi venait de lui dire.

— Elle… elle a refusé de devenir reine ?

— Oui. Elle veut passer du temps avec son enfant et, je suppose, son mari.

Après la façon dont il l'avait traitée, Shane peinait à croire que son barracuda adoré voulait encore de lui.

— C'est ce qu'elle vous a dit ?

— C'est ce qu'elle m'a dit.

Shane se leva brusquement.

— Majesté, je ne sais pas comment vous remercier.

— Je n'ai rien fait, si ce n'est assister à la naissance d'une belle histoire d'amour.

— Je suis vraiment navré que nous ayons quelque peu bouleversé vos projets.

— Faites-moi une faveur, voulez-vous ?

— Bien sûr. Laquelle ?

— Soyez heureux.


« Je suis désolé de m'être comporté comme un idiot… Je n'aurais pas dû te laisser partir… »

Dans le taxi qui l'emmenait chez Celia, Shane répétait son discours. Il ne savait par quel bout prendre sa femme, connaissant son caractère explosif. Mais n'était-ce pas ce qui faisait son charme ?

Toute cette préparation ne lui servit à rien, car Celia n'était pas à l'appartement lorsqu'il arriva, et les gardes ne purent lui dire où elle était allée. Déçu, Shane décida donc de rentrer chez lui.

Il ne s'étonna pas de trouver la porte ouverte en arrivant. Nul doute qu'Ed était déjà occupé à déballer ses affaires.

— Ce n'était pas la peine de…, commença-t-il en entrant.

Il se figea en apercevant Celia. Ses cheveux roux clair tombant dans ses yeux, une robe verte remontée sur ses longues jambes, elle poussait un fauteuil pour le mettre au milieu de la pièce. Le canapé avait déjà été déplacé.

— Mais qu'est-ce que tu fais ? Tu es enceinte ! Tu n'es pas censée soulever de choses lourdes !

— Je ne les soulève pas, je les pousse, répliqua l'intéressée.

Elle chassa une mèche de cheveux égarée devant ses yeux et ajouta :

— Personne ne s'assoit donc jamais ici ? Je ne vois pas comment on peut parler avec tant d'espace entre les sièges.

— Moi, je m'y assieds.

— Seulement toi ? Pas étonnant que ça ait l'air abandonné !
On dirait un hall d'hôtel.

Celia s'épousseta les mains et ajouta :

— Il faut que nous parlions.

— Je viens juste de rencontrer ton grand-père.

— Vraiment ? Comment ça s'est passé ?

— Oh, nous avons seulement parlé affaires. Nous n'avons pas
fait allusion à toi. A part peut-être au fait que je veux passer le
restant de mes jours en ta compagnie.

Celia se figea.

— Tu plaisantes ? demanda-t-elle enfin.

— Pas le moins du monde. J'étais prêt à déménager au
Korosol.

— Ne crois pas que je vais te tomber dans les bras.

— Ah non ?

— Je n'ai pas dit que je n'allais pas le faire, j'ai juste dit que ce
ne serait pas automatique.

— S'il y a quelque chose que j'ai appris, Celia, c'est de ne
jamais présumer de quoi que ce soit, avec toi.

— Et toutes ces choses que tu m'as dites en Californie, sur le
fait que j'en demandais trop ?

— J'ai dit ça ? fit Shane. Vraiment ?

— Tu m'as traitée d'enfant gâtée.

— De princesse gâtée.

— Ce n'est pas mieux !

— Je n'étais pas dans mon état normal.

— Et tu es sûr que tu l'es, maintenant ?

Visiblement, Celia peinait à croire à son revirement.

— Pour ma part, oui. Et toi ? La dernière chose à laquelle je
m'attendais, c'est de te voir déplacer mes meubles.

— Je n'ai jamais été aussi sûre de moi. Je t'aime, et c'est aussi
important pour moi que de respirer. Je ne pourrais pas vivre sans
toi. Même si tu ne veux pas de moi…

— Je n'ai jamais dit ça ! J'ai juste essayé de te rendre ta liberté.

— Je suis libre, avec toi.

— Et ma vie est auprès de toi, dit Shane.

Celia lui décocha un sourire rayonnant de bonheur. Ses yeux brillaient, et Shane lui-même sentit une boule lui monter dans la gorge.

— Bon, reprit la jeune femme, si tu m'aidais à déplacer le petit sofa qu'on puisse enfin s'asseoir ?

— J'ai une bien meilleure idée quant à son usage, murmura Shane. Il serait parfait pour… Ed est là ?

— Il est parti.

— Dans ce cas, je suggère que nous nous déshabillions, pour que je puisse te faire une petite démonstration de ce que j'ai en tête…

# Épilogue

Ils n'émergèrent que le lendemain matin et, après une douche qui faillit bien les retarder davantage, se rendirent chez les Carradine. Sitôt entrés dans l'appartement, ils entendirent des éclats de voix provenant de la cuisine.

— Je n'en ai aucune idée ! disait lady Charlotte. Elle refuse de me parler !

— Cette Krissy Katwell aime exagérer, répondit le roi. Je suis sûr qu'Amelia a une explication à nous fournir.

— Oh non ! soupira Celia, échangeant un rapide regard avec son mari. Nous aurions dû lire les journaux avant de venir.

— Espérons que cette nouvelle péripétie se finira aussi bien que la précédente, dit Shane en l'enlaçant tendrement.

Ils entrèrent enfin dans la cuisine. Avant que Celia puisse dire un mot, Charlotte lui brandit le *Chronicle* sous le nez.

« Le mariage secret de la princesse Amelia » titrait le magazine en caractères gras. « La surprise de la grossesse de la princesse Celia à peine retombée, notre reporter a découvert un nouveau scandale. La princesse Amelia s'est mariée en secret ! » disait le résumé de l'article. « Nous vous communiquerons bientôt de plus amples détails sur ce coup de tonnerre. Ne manquez pas notre prochain numéro ! »

— Je suis sûre que ce n'est pas vrai, dit Lucia en reposant sa tasse de café.

Elle avait pourtant été assez intriguée, nota Celia, pour faire le trajet depuis Soho.

Le téléphone sonna et, dans une autre pièce, Hester répondit. Lorsque la gouvernante entra dans la cuisine, quelques instants plus tard, Charlotte lui demanda aussitôt de qui il s'agissait.

— Un homme qui voulait parler à mademoiselle Amelia. Je lui ai passé l'appel.

— Il a donné son nom ? demanda le roi.

— Non, Votre Majesté.

— Le mystère s'épaissit, murmura Shane.

Tous restèrent pensifs quelques instants, puis Celia déclara :

— Je vais voir si Amelia a terminé. Elle a peut-être besoin de réconfort. Je me rappelle du choc que j'ai éprouvé quand Katwell m'a fait le même coup.

Sans attendre de réponse, elle quitta la pièce et gagna le premier étage. La conversation téléphonique avait dû s'achever, car elle n'entendait pas sa sœur. Elle frappa doucement à la porte.

— C'est moi, Celia. Ça va ?

— Tu tiens vraiment à connaître la réponse ? fit une voix étouffée, de l'autre côté du battant.

— Ecoute, je ne veux pas me mêler de tes affaires, mais tout le monde aimerait savoir qui était au téléphone.

— Dis-leur que c'était mon mari ! gémit Amelia. Et c'est tout ce que j'ai à dire pour l'instant !


Sa sœur était mariée ? Mais à qui ? se demanda Celia en redescendant lentement les escaliers. Seigneur, leur grand-père devait les croire devenues complètement folles !

Dans la cuisine, elle répéta ce qu'elle avait appris. Personne, pas même Lucia, ne put deviner qui était l'heureux élu. Seul Shane ne paraissait pas s'en soucier outre mesure.

— Je suis sûr que c'est un chic type, dit-il. Les demoiselles Carradine ont très bon goût.

— Mais elle va tout gâcher ! se lamenta lady Charlotte. Comment a-t-elle pu faire une chose pareille ?

— Tu devrais faire davantage confiance à tes filles, intervint Lucia. Nous sommes plus raisonnables que tu ne le crois.

— Je suis navré de te poser cette question, lui dit le roi, mais as-tu toi aussi des secrets dont tu voudrais nous donner la primeur avant Krissy Katwell ?

— J'ai bien peur que non. Ma vie est d'une terrible banalité.

— L'important, renchérit Celia, c'est le bonheur d'Amelia.

— Je crois que je vais faire une crise de nerfs, marmonna Charlotte. Non, je vais plutôt passer mes nerfs sur les directeurs de DeLacey.

— Formidable, déclara Celia. On commence quand ?

A sa grande surprise, sa mère se mit à rire. Quelques instants plus tard, par un étrange phénomène de contagion, tous riaient aux éclats, même le roi.

Celia savait pourquoi. En effet, malgré tous les tours du destin, les Carradine avaient le don de voir le bon côté des choses.

Elle posa sa joue sur l'épaule de Shane et se laissa aller à un immense sentiment de jubilation. Elle était mariée à l'homme qu'elle aimait, et allait bientôt lui donner un enfant… Que pouvait-elle demander de plus à la vie ?

# Le nouveau visage
## de la collection Or

◆

## AMOURS D'AUJOURD'HUI

Afin de mieux exprimer sa modernité et de vous séduire encore davantage, votre collection Or a changé de couverture et de nom depuis le 1er mars 1995.

Rassurez-vous, les romans, eux, ne changent pas, et vous pourrez retrouver dans la collection **Amours d'Aujourd'hui** tous vos auteurs préférés.

Comme chaque mois, en effet, vous y attendent des héros d'aujourd'hui, aux prises avec des passions fortes et des situations difficiles...

## COLLECTION
## AMOURS D'AUJOURD'HUI :
### Quand l'amour guérit des blessures de la vie...

Chère lectrice,

Vous nous êtes fidèle depuis longtemps?
Vous venez de faire notre connaissance?

C'est pour votre plaisir que nous avons
imaginé un rendez-vous chaque mois
avec vos auteurs préférés, vos
AUTEURS VEDETTE dans les
collections Azur et Horizon.

Les AUTEURS VEDETTE vous
donneront rendez-vous pour de
nouveaux livres vedette.

Pour les reconnaître, cherchez
l'étoile... Elle vous guidera!

Éditions Harlequin

# HARLEQUIN

## *LE FORUM DES LECTEURS ET LECTRICES*

CHERS(ES) LECTEURS ET LECTRICES,

VOUS NOUS ETES FIDÈLES DEPUIS LONGTEMPS?

VOUS VENEZ DE FAIRE NOTRE CONNAISSANCE?

SI VOUS AVEZ DES COMMENTAIRES, DES CRITIQUES À
FORMULER, DES SUGGESTIONS À OFFRIR, N'HÉSITEZ
PAS... ÉCRIVEZ-NOUS À:
>LES ENTERPRISES HARLEQUIN LTÉE.
>498 RUE ODILE
>FABREVILLE, LAVAL, QUÉBEC.
>H7R 5X1

C'EST AVEC VOS PRÉCIEUX COMMENTAIRES QUE NOUS
ALLONS POUVOIR MIEUX VOUS SERVIR.

DE PLUS, SI VOUS DÉSIREZ RECEVOIR UNE OU
PLUSIEURS DE VOS SÉRIES HARLEQUIN PRÉFÉRÉE(S)
À VOTRE DOMICILE, NE TARDEZ PAS À CONTACTER LE
SERVICE D'ABONNEMENT; EN APPELANT AU
(514) 875-4444 (RÉGION DE MONTRÉAL) OU 1-800-667-4444
(EXTÉRIEUR DE MONTRÉAL) OU TÉLÉCOPIEUR
(514) 523-4444 OU COURRIER ELECTRONIQUE:
AQCOURRIER@ABONNEMENT.QC.CA OU EN ÉCRIVANT À:
>ABONNEMENT QUÉBEC
>525 RUE LOUIS-PASTEUR
>BOUCHERVILLE, QUÉBEC
>J4B 8E7

MERCI, À L'AVANCE, DE VOTRE COOPÉRATION.

BONNE LECTURE.

HARLEQUIN,

*VOTRE PASSEPORT POUR LE MONDE DE L'AMOUR.*

# <u>COLLECTION HORIZON</u>

**Des histoires d'amour romantiques qui vous mènent au bout du monde!**

**Découvrez la passion et les vives émotions qu'apportent à la Collection Horizon des auteurs de renommée internationale!**

**Captivantes, voire irrésistibles, ces histoires d'amour vous iront assurément droit au coeur.**

**Surveillez nos trois nouveaux titres chaque mois!**